루미곰의

독일어 영어 대조
여행회화, 단어

꿈그린 어학연구소

루미곰의
독일어 영어 대조 여행회화, 단어

발 행 2024년 05월 24일
저 자 꿈그린 어학연구소
펴낸곳 꿈그린
E-mail kumgrin@gmail.com

ISBN 979 - 11 - 93488 -16 - 4

루미곰의
독일어 영어 대조
여행회화, 단어

머리말

이 책은 독일어권 체류시 필요한 단어와 회화를 상황 별로 정리한 독일어 기초 여행 회화 책입니다.

특히 여행 회화책이 필요한 상황에서 상황 별 필요 문장 습득뿐만 아니라 기초적인 문법과 필수 단어도 같이 익히고 싶으신 분들에게 이 책은 적격입니다.

이미 시중에 많은 독일어 회화책이 나와 있는 상황에서 이 책이 기존 책들과의 차별 점은 모든 독일어 문장 및 단어의 영어 번역도 같이 소개했다는 점입니다.

이렇게 독일어와 영어를 대조해 놓았기에 독일어와 영어가 자주 쓰이는 유럽 여러 나라들에 체류하면서 기본적인 영어 및 독일어 지식을 같이 얻고자 하는 독자에게도 이 책을 추천드릴 수 있습니다.

특히 이 책은 필수 여행 회화부터 기타 생활 속 표현을 중심으로 약 350 개의 중요 문장 표현과 500 개의 기초 단어를 테마 별로 정리하는데 중점을 두었습니다. 발음 규칙이나 문법 맛보기 설명에 있어서도 본문 문장을 이해하는데 필요한, 독일어를 처음 접하는 분들이 당장에 알아야 할 아주 기초적인 내용만을 소개하는데 집중하였습니다.

독영 회화 대조, 상황별 독일어 숙지 및 기본적인 문법 확인과 단어 공부를 모두 같이 할 수 있다는 점이 이 책의 매력입니다.

이 책을 통하여 많은 여행자들이 쉽게 독일어를 익히고 독일어권 여행에 재미를 더할 수 있기를 바랍니다.

2024 년 05 월

꿈그린 어학연구소

차 례

발 음

1. 알파벳

A - [아]	P - [페]
B - [베]	Q - [쿠]
C - [체]	R - [에르]
D - [데]	S - [에스]
E - [에]	T - [테]
F - [에프]	U - [우]
G - [게]	V - [파우]
H - [하]	W - [베]
I - [이]	X - [익스]
J - [요트]	Y - [윕실론]
K - [카]	Z - [체트]
L - [엘]	Ä - [에]
M - [엠]	Ö - [외]
N - [엔]	Ü - [위]
O - [오]	ß - [에스체트]

2. 발음 규칙

* 모음

1) 단모음

a - [아]로 발음되며 음성기호는 [a], [aː]

e - [에]로 발음되며 음성기호는 [ɛ], [eː], [e], [ə]

i - [이]로 발음되며, 음성기호는 [iː], [ɪ]

o - [오]로 발음되며 음성기호는 [oː], [ɔ]

u - [우]로 발음되며 음성기호는 [uː], [ʊ]

y- [위]로 발음되며 음성기호는 [yː], [ʏ]

2) 변모음

독일어의 변모음은(ä, ö, ü)는 기본 모음(a, o, u)의
발음에서 변화한 모음으로 움라우트라고 합니다.

ä - [애]로 발음되며 음성기호는 [ɛː], [ɛ]

ö - [외]로 발음되며 음성기호는 [øː], [œ]

ü - [위]로 발음되며 음성기호는 y와 같이 [yː], [ʏ]

3) 장모음

독일어에는 일반적으로 이중 모음(aa, ee, oo) 및 모음 뒤에 단일 자음이오면 장모음이 됩니다.

4) 복모음

독일어에는 동일한 음절 내에 두 개의 모음 소리가 결합된 복모음이 있습니다.

ai, ei, ay, ey - [아이]로 발음
(ai의 경우 외래어에서 [ɛ/e]로 발음 되기도 한다.)
eu, äu - [오위/오이]로 발음
ie - [이-]로 발음
oe - Ö 와 동일하게 [외]로 발음
ae - Ä 와 동일하게 [에]로 발음
au, ou – [아우]로 발음. ou는 외래어에서 쓰이며 [아우]외에, [우]로 발음되는 경우도 있다.

* 자음

B: 영어 "bat"의 "b"와 유사하게 [b]로 발음됩니다. 단어, 음절 끝에서는 [p]로 발음됩니다.

C: 'ch' 뒤에 a, o, u, au가 오면 [x] 소리가 나고, 그 외의 경우에는 [ç] 소리가 납니다. 외래어에서 [k], [ʃ]의 발음이 나기도 합니다.

D: [d]로 발음됩니다. 단어 끝에 'd'가 오거나 단어에서 'g' 뒤에 자음이 오면 't'로 발음됩니다.

F: 영어의 [f]로 발음되며 ph도 같은 발음입니다.

G: 통상적으로는 [g] 발음. 단어 끝에 'g'가 오거나 단어에서 'g' 뒤에 자음이 오면 'k'로 발음됩니다. 또한, 단어가 "-ig"로 끝나는 경우 "-ig"는 일반적으로 [ç]로 발음됩니다.

H: 일반적으로 [h]로 발음되며, 영어 "hat"의 "h"와 유사합니다. 'h'가 모음 뒤에 오면 묵음이 됩니다.

J: 영어 "yes"의 "y"와 유사합니다. 외래어의 경우 [j]로 발음됩니다.

K: 영어와 유사하게 [k]로 발음됩니다. 'ck'도 같은

발음입니다.

L: [l]로 발음되며, 영어의 "l"과 유사합니다.

M: [m]으로 발음되며, 영어의 "m"과 유사합니다.

N: [n]으로 발음되며, 영어의 "n"과 유사합니다. ng의 경우 연구개 비음으로 [ŋ] 소리가 납니다.

P: 영어와 유사하게 [p]로 발음됩니다. ph는 [pf]의 발음이 납니다.

Q: 일반적으로 "u"가 뒤에 오며 '크브'[kv]로 발음됩니다.

R: 목 뒤쪽에서 [ʁ] 으로 발음됩니다. 이는 프랑스어 "r"과 다소 유사합니다.

S: 단어의 시작이나 모음 앞에 올 때는 [z]로 발음됩니다. 다른 위치에서는 [s]로 발음됩니다. 뒤에 sch와 같이 'ch', 'p', 't'가 오면 영어의 sh와 같은 [ʃ]로 발음됩니다.

ß: 이중 s의 소리[s]를 나타내며, 단어의 중간이나 끝에만 사용됩니다. 단어의 시작 부분에는 사용되지 않습니다.

T: 영어와 유사하게 [t]로 발음됩니다. tt, th, dt도 [t]로 발음됩니다. tsch는 영어의 ch 발음입니다.

V: 어두에서 f와 동일하게 [f]로 발음됩니다. 외래어에서는 v로 발음되기도 합니다.

W: 영어의 "voice"의 "v"와 유사하게 [v]로 발음됩니다. 음절 및 단어 끝에서는 [f]

X: 'chs'와 유사하게 [ks]로 발음됩니다.

Z: 영어 "cats"의 "ts"와 유사하게 [ts]로 발음됩니다. '-ds, ts, -tion'도 [ts]로 발음됩니다.

Yes.

Ja.　　[야]

네.

No.

Nein.　[나인]

아니요.

I want…

Ich möchte…　[이히 모히테]

~원해요.

I would like to....

Ich würde gerne... [이히 부어데 게허네]

~하고 싶어요.

Do you have….?

Haben Sie...? [하벤 지]

~있으세요?

I need…

Ich brauche… [이히 브라우허]

~필요해요.

Can I...?

Kann ich...? [칸 이히]

~해도 돼요?

Can you ...?

Können Sie...?

[쾨넨 지]

~할 수 있어요?

Do you know ...?

Wissen Sie...?

[비센 지]

~아세요?

I do not know.

Ich weiß nicht.

[이히 바이스 니히트]

몰라요.

01

인 사

Hello!

Hallo! [할로]

안녕하세요.

Good morning!

Guten Morgen! [구텐 모겐]

안녕하세요. (아침)

Good afternoon!

Guten Nachmittag! [구텐 나흐미탁]

안녕하세요. (낮)

Good evening!

Guten Abend! [구텐 아벤트]

안녕하세요. (저녁)

Good night!

Gute Nacht!   [구테 나흐트]

좋은 밤 되세요. (밤)

Bye!

Tschüss!   [츄스]

안녕! (헤어질 때)

GoodBye!

Auf Wiedersehen!   [아프 비더제엔]

안녕히!

See you!

Bis bald!   [비스 발]

다음에 봐요.

Sleep well!

Schlaf gut!   [슐라프 굿]

잘 자요.

Happy Birthday!

Alles Gute zum Geburtstag!

[알레스 구테 줌 게부어스트탁]

생일 축하합니다.

Merry Christmas!

Frohe Weihnachten. [프로헤 바이나흐텐]

즐거운 성탄절 되세요.

Happy new year!

Frohes neues Jahr.

[프로헤스 노이에스 야허]

새해 복 많이 받으세요.

문법 맛보기

주격 인칭대명사	단수	복수
1인칭	ich(나)	wir (우리)
2인칭	du (너) Sie (당신)	ihr (너희들)
3인칭	er (그) sie (그녀) es (그것)	sie (그들)

<의문사>

누가	Wer
언제	Wann
어디서	Wo
무엇을	Was
어떻게	Wie
왜	Warum

02

안 부

Long time no see.

Lange nicht gesehen.

[랑게 니히트 게제엔]

오랜만입니다.

How are you?

Wie geht es dir?

[비 게 에스 디어]

Wie geht es Ihnen? (존칭)

[비 게 에스 이넨]

잘 지내요?

How's it going?

Wie läuft es? [비 로이풋 에스]

Wie geht's? [비 게엣]

어떻게 지내요?

I am fine.

Mir geht es gut. [미어 게 에스 굿]

잘 지내요.

Good, thanks.

Gut, danke. [굿 당케]

좋아요, 고마워요.

And you?

Und du? [운 두]

당신은요?

Not bad.

Nicht schlecht.

[니히트 슐레히트]

나쁘지 않아요.

Not so good.

Nicht so gut.

[니히트 조 굿]

아주 좋지는 않아요.

I am sorry to hear that.

Es tut mir leid, das zu hören.

[에스 투트 미어 라이 다스 주 회헌]

그런 말을 듣게 되어 유감입니다.

03 자기소개

Nice to meet you!

Schön, dich zu treffen!

[숀 디히 주 트레펀]

I am happy to meet you.

Ich freue mich, dich kennenzulernen.

[이히 프로이 미히 디히 케넨주레허넨]

만나서 반갑습니다.

What's your name?

Wie heißen Sie?

[비 하이센 지]

당신의 이름은 무엇입니까?

My name is…

Ich heiße… [이히 하이세…]

제 이름은 ~ 입니다.

What do you do for a living?

Was machen Sie beruflich?

[바스 마흔 지 베후플리히]

직업이 무엇이죠?

I am...

Ich bin… [이히 빈..]

저는 ~ 입니다.

How old are you?

Wie alt sind Sie? [비 알트 진 지]

몇 살이세요?

I am ... years old.

Ich bin ... Jahre alt.

[이히 빈... 야허 알트]

~살 입니다.

Are you married?

Sind Sie verheiratet?

[진 지 페하이하텟]

기혼이신가요?

I am single.

Ich bin ledig.

[이히 빈 레이디흐]

저는 미혼입니다.

< 사람 관련 단어 >

person	die Person	사람
man	der Mann	남자
woman	die Frau	여자
girl	das Mädchen	소녀
boy	der Junge	소년
twin	der Zwilling	쌍둥이
infant	das Baby	유아
children	die Kinder	어린이
adult	der Erwachsene	어른
miss	die Frau	미스
mister	der Herr	미스터
colleague	der Kollege	동료
family	die Familie	가족
parents	die Eltern	부모님
father	der Vater	아버지
mother	die Mutter	어머니
neighbour	der Nachbar	이웃
son	der Sohn	아들
daughter	die Tochter	딸
husband	der Ehemann	남편
wife	die Ehefrau	아내

couple	das Paar	부부
sister	die Schwester	자매
brother	der Bruder	형제
grandmother	die Großmutter	할머니
grandfather	der Großvater	할아버지
grandchild	das Enkelkind	손주
cousin	der Cousin	사촌
relative	der Verwandte	친척
boyfriend	der Freund	남자 친구
girlfriend	die Freundin	여자 친구
uncle	der Onkel	삼촌
aunt	die Tante	이모, 고모

*독일어의 모든 단어는 남성, 여성, 중성으로 나뉘어
집니다. 모든 단어 앞에 있는 der, die, das는 정관사로
단어의 성(der: 남성, die: 여성, das: 중성)을 알 수 있도
록 추가하였습니다.

04 사 과

Sorry!

Entschuldigung!   [엔슐디겅]

미안합니다.

I am sorry.

Es tut mir leid. [에스 투트 미어 라이]

죄송합니다.

I am very sorry.

Es tut mir sehr leid.

[에스 투트 미어 제어 라이]

정말 죄송합니다.

Pardon me.

Verzeihung.　[페어차이훙]

미안해요, 실례합니다.

It is okay.

Es ist in Ordnung. [에스 이스트 인 오드눙]

괜찮아요.

Am I bothering you?

Störe ich dich?　[스퇴레 이히 디히]

제가 방해했나요?

Don't worry.

Mach dir keine Sorgen.

[마흐 디어 카이네 소르겐]

걱정 마세요.

Never mind.

Schon gut.

[숀 굿]

괜찮아요.

Forget it.

Das macht nichts.

[다스 막트 니히트]

신경 쓰지 마세요.

I feel sorry for you.

Es tut mir leid für dich.

[에스 투트 미어 라이 포 디히]

유감입니다.

감 사

Congratulations!

Herzlichen Glückwunsch!

[헤아즐리헌 글룩분쉬]

축하해요.

Thank you!

Danke! [당케]

고마워요.

Thank you for the help.

Danke für die Hilfe.

[당케 퓌어 디 힐페]

도와주셔서 감사합니다.

Thank you so much!

Danke schön! [당케 숀]

Vielen Dank! [비엘렌 당크]

정말 감사합니다.

How kind of you.

Das ist sehr nett von Ihnen!

[다스 이스트 제어 넷 폰 이넨]

너무 친절하세요.

You are welcome!

Bitte schön!

[비테 숀]

천만에요.

It was nothing.

Es war nichts.

[에스 바 니히트]

별것 아닙니다.

No problem!

Kein Problem.

[카인 프호브렘]

뭘요, 문제없어요.

06 부 탁

Excuse me, could you help me?

Entschuldigung Sie,

[엔슐디겅 지]

Können Sie mir helfen?

[쾨넨 지 미어 헬펜]

실례합니다. 저 좀 도와주실 수 있으세요?

Can I ask you something?

Kann ich Sie etwas fragen?

[칸 이히 지 엣바스 프라겐]

뭐 좀 여쭤봐도 되나요?

Of course!

Natürlich!　　　[나튈리히]

네 물론이죠.

Can I take this?

Kann ich das nehmen?

[칸 이히 다스 네멘]

이것을 가져도 되나요?

Sure, go ahead.

Natürlich, bitte schön. [나튈리히, 비테 숀]

그러세요.

Here you are.

Hier, bitte. [히어 비테]

여기 있어요.

Let me help you.

Lassen Sie mich Ihnen helfen.

[라센 지 미히 이넨 헬펜]

제가 도와드릴게요.

Yes, how can I help you?

Ja, wie kann ich Ihnen helfen?

[야 비 칸 이히 이넨 헬펜]

네, 무엇을 도와드릴까요?

No, sorry.

Nein, tut mir leid.

[나인 투트 미어라이]

아뇨, 죄송해요.

No, I do not have time now.

Nein, ich habe jetzt keine Zeit.

[나인 이히 하베 예츠즈 카이네 자이트]

아뇨, 지금 시간이 없어요.

Wait a minute, please.

Warten Sie bitte einen Moment.

[바텐 지 비테 아이넨 모멘트]

잠시만요.

OK.

In Ordnung.   [인 오드눙]

좋습니다.

Perhaps.

Vielleicht.   [필라이히트]

아마도요.

날짜, 시간

What day is it today?

Welcher Tag ist heute?

[벨혀 타그 이스트 호이테]

오늘은 무슨 요일이죠?

Today is Tuesday.

Heute ist Dienstag.

[호이테 이스트 디인스타그]

오늘은 화요일입니다.

What's the date today?

Was ist das Datum heute?

[바스 이스트 다스 다툼 호이테]

오늘은 며칠입니까?

Today is March 9th.

Heute ist der 9. März.

[호이테 이스트 데어 노인트 메아츠]

오늘은 3 월 9 일입니다.

What time is it?

Wie spät ist es? [비 스패 이스트 에스]

지금은 몇 시입니까?

It is five past four. (4:05)

Es ist fünf nach vier.

[에스 이스트 퓐프 나흐 비어]

4 시 5 분입니다.

It is a quarter past four. (4:15)

Es ist Viertel nach vier.

[에스 이스트 비어텔 나흐 비어]

4 시 15 분입니다.

It is a half past four. (4:30)

Es ist halb fünf.   [에스 이스트 할 퓐프]

4 시 30 분입니다.

It is a quarter to five. (4:45)

Es ist Viertel vor fünf.

[에스 이스트 피어텔 보어 퓐프]

4 시 45 분입니다.

It is ten to five. (4:50)

Es ist zehn vor fünf.

[에스 이스트 젠 보어 퓐프]

4 시 50 분입니다.

< 숫자 >

	기수	서수
1	eins	erste
2	zwei	zweite
3	drei	dritte
4	vier	vierte
5	fünf	fünfte
6	sechs	sechste
7	sieben	siebte
8	acht	achte
9	neun	neunte
10	zehn	zehnte
11	elf	elfte
12	zwölf	zwölfte
13	dreizehn	dreizehnte
14	vierzehn	vierzehnte
15	fünfzehn	fünfzehnte
16	sechzehn	sechzehnte
17	siebzehn	siebzehnte
18	achtzehn	achtzehnte
19	neunzehn	neunzehnte
20	zwanzig	zwanzigste
21	einundzwanzig	einundzwanzigste
22	zweiundzwanzig	zweiundzwanzigste
...	...	...
10	zehn	zehnte

20	zwanzig	zwanzigste
30	dreißig	dreißigste
40	vierzig	vierzigste
50	fünfzig	fünfzigste
60	sechzig	sechzigste
70	siebzig	siebzigste
80	achtzig	achtzigste
90	neunzig	neunzigste
100	hundert	hundertste
1000	tausend	tausendste

*21부터는 '그리고'라는 뜻의 und를 사용하여 '1과 20'
의 형태로 1자리수를 먼저 말하여 ein+und+zwanzig가
됨을 기억하세요.

< 월 >

January	Januar	1 월
February	Februar	2 월
March	März	3 월
April	April	4 월
May	Mai	5 월
June	Juni	6 월
July	Juli	7 월
August	August	8 월
September	September	9 월
October	Oktober	10 월
November	November	11 월
December	Dezember	12 월

< 요일 >

Monday	Montag	월요일
Tuesday	Dienstag	화요일
Wednesday	Mittwoch	수요일
Thursday	Donnerstag	목요일
Friday	Freitag	금요일
Saturday	Samstag	토요일
Sunday	Sonntag	일요일

< 날, 시간 관련 >

the day before yesterday	vorgestern	그저께
yesterday	gestern	어제
today	heute	오늘
tomorrow	morgen	내일
the day after tomorrow	übermorgen	모레
weekday	Wochentag	평일
weekend	Wochenende	주말
day	Tag	날
week	Woche	주
month	Monat	달
year	Jahr	년
second	Sekunde	초
minute	Minute	분
time	Zeit	시간

08 출 신

Where are you from?

Woher kommen Sie? [보헤어 코멘 지]

어디 출신이세요?

I am from Korea.

Ich komme aus Korea.

[이히 코메 아우스 코레아]

한국에서 왔습니다.

What brings you here?

Was führt dich hierher?

[바스 퓌트 디히 히어허]

Was hat Sie hierher geführt? (존칭)

[바스 핫 지 히어허 게퓌엇]

어떻게 여기에 오게 되셨나요?

I study / work here.

Ich studiere / arbeite hier.

[이히 스튜디어러 / 아바이테 히어]

저 여기서 공부 / 일해요.

I am Korean.

Ich bin Koreaner(in).

[이히 빈 코레아너(린)]

저는 한국 사람입니다.

I am originally from Busan.

Ich komme ursprünglich aus Busan.

[이히 코메 우스프룽리히 아우스 부산]

제 출신지는 부산입니다.

Which city do you live in?

In welcher Stadt lebst du?

[인 벨쳐 스타트 렙스트 두]

어느 도시에서 사세요?

I live in Seoul.

Ich lebe in Seoul.

[이히 레베 인 서울]

서울에서 살아요.

< 국명 >

	나라	남자(der)	여자(die)
스웨덴	Schweden	der Schwede	die Schwedin
핀란드	Finnland	der Finne	die Finnin
덴마크	Dänemark	der Däne	die Dänin
노르웨이	Norwegen	der Norweger	die Norwegerin
미국	Amerika	der Amerikaner	die Amerikanerin
오스트리아	Österreich	der Österreicher	die Österreicherin
스위스	die Schweiz	der Schweizer	die Schweizerin
영국	England	der Engländer	die Engländerin
독일	Deutschland	der Deutsche	die Deutsche
프랑스	Frankreich	der Franzose	die Französin
스페인	Spanien	der Spanier	die Spanierin
이탈리아	Italien	der Italiener	die Italienerin
한국	Korea	der Koreaner	die Koreanerin
일본	Japan	der Japaner	die Japanerin
중국	China	der Chinese	die Chinesin
네덜란드	Niederlande	der Niederländer	die Niederländerin
멕시코	Mexiko	der Mexikaner	die Mexikanerin

09

언 어

Do you speak …?

Sprechen Sie ...?[스프레흔 지...?]

~어를 하시나요?

I speak a little...

Ich spreche ein bisschen...

[이히 스프레헤 아인 비셴...]

~어를 조금 합니다.

I do not speak....

Ich spreche nicht....[이히 스프레헤 니히트...]

~어를 못합니다.

Does anyone here speak ...

Spricht hier jemand ...

[스프리히트 히어 예만...]

~(어)를 하시는 분 계시나요?

What .... is in English?

Was bedeutet .... auf Englisch?

[바스 베도이텟 .... 아프 엥글리쉬?]

~은 영어로 뭐예요?

How do you say that in ...?

Wie sagt man das auf ...?

[비 작트 만 다스 아프 ...?]

그것은 ....어로 어떻게 말해요?

How do you say … in German?

Wie sagt man … auf Deutsch?

[비 작트 만 ... 아프 도이치]

~은 독일어로 어떻게 말해요?

How do you pronounce that?

Wie spricht man das aus?

[비 스프리트 만 다스 아우스]

이것은 어떻게 발음해요?

What does this mean?

Was bedeutet das?

[바스 베도이텟 다스]

이것은 무슨 뜻이죠?

Do you understand me?

Verstehen Sie mich?

[베에스테헨 지 미히]

제 말을 이해하셨나요?

I do not understand.

Ich verstehe nicht.

[이히 베스테헤 니히트]

이해하지 못했어요.

I understand that.

Ich verstehe.

[이히 베스테헤]

이해는 합니다.

Could you speak a little slower?

Könnten Sie bitte langsam sprechen?

[퀸텐 지 비테 랑잠 스프레흔]

천천히 말해 줄 수 있나요?

Could you repeat that?

Könnten Sie das bitte wiederholen?

[퀸텐 지 다스 비테 비더호렌]

다시 말해 주실 수 있으세요?

Could you write it down?

Könnten Sie das aufschreiben?

[퀸텐 지 다스 아프스라이벤]

써주실 수 있으세요?

Could you spell that for me?

Könnten Sie das für mich buchstabieren?

[쾬텐 지 다스 퓌어 미히 부흐스타비어렌]

철자를 알려주실 수 있으세요?

문법 맛보기

1. 정관사: 남성과 중성의 속격의 명사에도 (e)s를 붙여야합니다.

	남성	중성	여성	복수
주격	**der** Mann 그 남자	**das** Kind 그 아이	**die** Frau 그 여자	**die** Kinder 그 아이들
대격	**den** Mann 그 남자를	그 아이를	그 여자를	그 아이들을
여격	**dem** Mann 그 남자에게	**dem** Kind 그 아이에게	**der** Frau 그 여자에게	**den** Kindern 그 아이들에게
속격	**des** Mannes 그 남자의	**des** Kindes 그 아이의	그 여자의	**der** Kinder 그 아이들의

2. 부정(不定)관사: 영어의 'a/an'처럼 불특정 명사를 지칭합니다.

	남성	중성	여성
주격	**ein** Mann 한 남자	**ein** Buch 한 책,	**eine** Frau 한 여자,
대격	**einen** Mann 한 남자를	한 책을	한 여자를
여격	**einem** Mann 한 남자에게	**einem** Buch 한 책에	**einer** Frau 한 여자에게
속격	**eines** Mannes 한 남자의	**eines** Buches 한 책의	한 여자의

< 언어 >

Swedish	Schwedisch	스웨덴어
Finnish	Finnisch	핀란드어
Danish	Dänisch	덴마크어
Norwegian	Norwegisch	노르웨이어
English	Englisch	영어
German	Deutsch	독일어
French	Französisch	프랑스어
Spanish	Spanisch	스페인어
Italian	Italienisch	이탈리아어
Korean	Koreanisch	한국어
Japanese	Japanisch	일본어
Chinese	Chinesisch	중국어
Dutch	Niederländisch	네덜란드어

10

의 견

What do you think?

Was denkst du? [바스 뎅크스 두]

Was denken Sie? (존칭) [바스 뎅켄 지]

뭐라고 생각하세요?

What's going on?

Was ist los? [바스 이스트 로스]

무슨 일이죠?

I think that…

Ich denke, dass... [이히 뎅케 다스..]

~라고 생각합니다.

What do you prefer?

Was bevorzugst du?

[바스 베포주스트 두]

Was bevorzugen Sie? (존칭)

[바스 베포주겐 지]

뭐가 좋으세요?

I like it.

Ich mag es.　　[이히 막 에스]

그거 마음에 들어요.

I do not like it.

Ich mag es nicht. [이히 막 에스 니히트]

그거 마음에 안 들어요.

I like / hate to do that.

Ich mag/hasse es, das zu tun.

[이히 막/하세 에스 다스 주 툰]

그것을 하기 좋아합니다. /싫어합니다.

I am happy.

Ich bin glücklich.

[이히 빈 글뤽크리히]

기쁩니다.

I am not happy.

Ich bin nicht glücklich.

[이히 빈 니히트 글뤽크리히]

기쁘지 않습니다.

I am not in a good mood.

Ich bin nicht in guter Stimmung.

[이히 빈 니히트 인 구터 스팀뭉]

기분이 좋지 않습니다.

I am interested in…

Ich interessiere mich für...

[이히 인터레시허 미히 퓌어...]

~에 흥미가 있습니다.

I am not interested.

Ich bin nicht interessiert.

[이히 빈 니히트 인테레시어트]

흥미 없습니다.

I am bored.

Mir ist langweilig. [미어 이스트 랑바이리히]

Ich bin gelangweilt. [이히 빈 게랑바이트]

지루합니다.

It does not matter.

Es spielt keine Rolle.

[에스 스필 카이네 홀레]

Das ist egal.

[다스 이스트 이갈]

상관없어요.

Really?

Wirklich?   [버클리히]

정말요?

I've had enough.

Ich habe genug (gehabt).

[이히 하베 게눅 게합]

이제 충분합니다.

Great! / Wonderful!

Großartig! / Wunderbar!

[그로스아틱 / 분더바]

좋아요. / 멋져요.

What a shame!

Was für ein Jammer!

[바스 퓌어 아인 예머]

안타깝네요.

11

전 화

Is this...?

Ist das ....? [이스트 다스....?]

~이신가요?

This is ...

Das ist ... [다스 이스트 ...]

~입니다.

Can I speak to...?

Kann ich mit .... sprechen?

[칸 이히 밋.... 스프레헨]

~랑 통화할 수 있나요?

I'd like to speak to..

Ich würde gerne mit .... sprechen.

[이히 부어데 게허네 밋.... 스프레헨]

~랑 통화하고 싶습니다.

Who is calling?

Wer ruft an?

[베어 후프트 안]

누구시죠?

You have the wrong number.

Sie haben die falsche Nummer.

[지 하벤 디 팔세 누머]

잘못된 번호로 거셨습니다.

The line is busy.

Die Leitung ist besetzt.

[디 라이퉁 이스트 베젯츠]

통화 중입니다.

He is not here right now.

Er ist gerade nicht hier.

[에어 이스트 게하데 니히트 히어]

그는 지금 자리에 없습니다.

Could you let her know I called?

Könnten Sie ihr mitteilen, dass ich angerufen habe?

[쾬텐 지 이어 밋타이렌 다스 이히 안게루펜 하베]

그녀에게 제가 전화했다고 전해주실래요?

Could you ask him to call me back?

Können Sie ihn bitten, mich zurückzurufen?

[퀸넨 지 임 비텐 미히 주룩주루픈]

그에게 다시 제게 전화해 달라고 말씀해 주시겠습니까?

I will call again later.

Ich rufe später noch einmal an.

[이히 루페 스페터 노흐 아인말 안]

Ich werde später noch einmal anrufen.

[이히 베어데 스페터 노흐 아인말 안루픈]

나중에 다시 전화하겠습니다.

Can I leave a message?

Kann ich eine Nachricht hinterlassen?

[칸 이히 아이넨 나흐리히트 힌터라센]

메시지를 남길 수 있을까요?

What's your phone number?

Wie lautet Ihre Telefonnummer?

[비 라우텟 이허 텔레포누머]

전화번호가 어떻게 되세요?

My phone number is….

Meine Telefonnummer ist …

[마인 텔레포누머 이스트 ….]

제 전화번호는~입니다.

Can you repeat that?

Können Sie das wiederholen?

[쾬넨 지 다스 비더호렌]

한 번 더 말해 주실 수 있으세요?

문법 맛보기

독일어 동사는 인칭과 수에서 문장의 주어와 일치하도록 변화합니다. 동사를 활용하려면 부정사 어미에서 -en을 삭제하고 적절한 어미를 추가하세요.

불규칙 동사이지만 매우 중요한 sein(이다), haben(가지다), sprechen(말하다), warden(되다), sehen(보다) 동사도 같이 외워둡시다.

인칭	어미	sein (이다)	haben (가지다)	sprechen (말하다)	werden (되다)	sehen (보다)
ich	-e	bin	habe	spreche	werde	sehe
du	-st	bist	hast	sprichst	wirst	siehst
er/sie/es	-t	ist	hat	spricht	wird	sieht
wir	-en*	sind	haben	sprechen	werden	sehen
ihr	-t	seid	habt	sprecht	werdet	seht
sie/Sie	-en*	sind	haben	sprechen	werden	sehen

(* 보통 일반 동사의 부정사와 동일)

< 전자 기기 관련 단어>

computer	der Computer	컴퓨터
laptop	der Laptop	랩탑
wifi	das WLAN	인터넷
e-mail	die E-Mail	이메일
website	die Website	웹 사이트
printer	der Drucker	프린터
camera	die Kamera	카메라
memory card	die Speicherkarte	메모리카드
battery	die Batterie	배터리
electricity	der Strom	전기
phone	das Telefon	전화
smart phone	das Smartphone	스마트폰
SIM card	die SIM-Karte	심카드
text message	die SMS	문자 메시지
socket	die Steckdose	콘센트
charger	das Ladegerät	충전기
tablet pc	das Tablet	태블릿 pc
headphones	die Kopfhörer	헤드폰

12

우편, 환전

Where is the ATM?

Wo ist der Geldautomat?

[보 이스트 데어 겔트아우토맛]

ATM 기는 어디에 있나요?

Where is the nearest money exchange office?

Wo ist das nächste Geldwechselbüro?

[보 이스트 다스 나흐스테 겔트벡셀뷔로]

여기 주변에 환전소는 어디죠?

I would like to exchange some money.

Ich möchte etwas Geld umtauschen.

71

[이히 모히테 에트바스 겔트 움타우센]

돈을 환전하고 싶습니다.

What is the current exchange rate?

Wie hoch ist der aktuelle Wechselkurs?

[비 호흐 이스트 데어 악투엘레 벡셀쿠어스]

현재 환율이 어떻게 되죠?

What is the exchange between Dollar and Euro?

Wie steht der Wechselkurs zwischen Dollar und Euro?

[비 스테 데어 벡셀쿠어스 즈비쉔 도라 운트 에우로]

달러와 유로의 환율이 어떻게 되죠?

How much is the commission fee?

Wie hoch ist die Provision?

[비 호흐 이스트 디 프로비시온]

수수료가 얼마죠?

I want to send this package by
airmail.

**Ich möchte dieses Paket per Luftpost
verschicken.**

[이히 모히테 디세 파켓 페어 루프트포스트
베쉬켄]

이 소포를 항공 우편으로 보내고 싶습니다.

I'd like to send this to America.

**Ich würde das gerne nach Amerika
schicken.**

[이히 부어데 다스 게허네 나흐 아메리카 쉬켄]

이것을 미국으로 보내고 싶습니다.

How much does it cost to send this letter to Korea?

Wie viel kostet es, diesen Brief nach Korea zu schicken?

[비어 비엘 코스텟 에스 디센 브리프 나흐코레아 주 쉬켄]

한국으로 이 편지를 보내는데 얼마죠?

Can I get 6 stamps?

Kann ich 6 Briefmarken bekommen?

[칸 이히 젝스 프리프마켄 베코멘]

우표 6 개 주세요.

Have I put enough stamps on this?

Habe ich genug Briefmarken aufgeklebt?

[하베 이히 게눅 브리프마켄 아프게크렙]

우표가 여기 충분한가요?

문법 맛보기

독일어의 일반적인 조동사는 können(할 수 있다), müssen(해야 한다), dürfen(해도 좋다), sollen(해야 한다), wollen(하고 싶다), möchten(원한다)등이 있습니다.

조동사는 부정사와 함께 사용되는 경우가 많으며 능력, 필요성, 허가, 의무 및 욕구를 표현합니다.

영어 뜻	ich	du	er/sie/es	wir	ihr	sie/Sie
can	kann	kannst	kann	können	könnt	können
may	darf	darfst	darf	dürfen	dürft	dürfen
must	muss	musst	muss	müssen	müsst	müssen
should	soll	sollst	soll	sollen	sollt	sollen
want	will	willst	will	wollen	wollt	wollen
like	mag	magst	mag	mögen	mögt	mögen

< 금융 관련 단어>

bank	die Bank	은행
ATM	der Geldautomat	현금자동인출기
account	das Konto	계좌
password	das Passwort	비밀 번호
dollar	der Dollar	달러
Euro	der Euro	유로
money	das Geld	돈
cash	das Bargeld	현금
coin	die Münze	동전
traveler's checks	der Reisescheck	여행자 수표
deposit	die Einzahlung	입금
interest	der Zins	이자
credit card	die Kreditkarte	카드
exchange rate	der Wechselkurs	환율
currency exchange	der Geldwechsel	환전

< 우편 관련 단어 >

domestic mail	die Inlandspost	국내우편
international mail	die Internationale Post	국제우편
air mail	die Luftpost	항공우편
receiver	der Empfänger	수신인
sender	der Absender	발신인
package	das Paket	소포
post office	das Postamt	우체국
ZIP code	die Postleitzahl	우편 번호
postage	das Porto	우편 요금
mailbox	der Briefkasten	우편함
stamp	die Briefmarke	우표
address	die Adresse	주소
postcard	die Postkarte	엽서
tracking number	die Sendungsnummer	배송조회번호

13 날씨

What's the weather like today?

Wie ist das Wetter heute?

[비 이스트 베터 호이테]

오늘 날씨 어때요?

What's the temperature today?

Wie ist die Temperatur heute?

[비 이스트 디 템페라투어 호이테]

오늘 몇 도 정도 될까요?

It's beautiful /nice weather.

Es ist schönes / gutes Wetter.

[에스 이스트 쇼네스 / 구테스 베터]

날씨가 좋네요.

It's cold today.

Es ist kalt heute. [에스 이스트 칼트 호이테]

오늘 추워요.

It's cool today.

Es ist kühl heute. [에스 이스트 퀼 호이테]

오늘 시원해요.

It's warm today.

Es ist warm heute. [에스 이스트 밤 호이테]

오늘 따뜻해요.

It's hot today.

Es ist heiß heute.

[에스 이스트 하이스 호이테]

오늘 더워요.

It's humid /dry.

Es ist feucht / trocken.

[에스 이스트 포이트 / 트로큰]

습합니다. / 건조합니다.

Will there be bad weather?

Wird es schlechtes Wetter geben?

[버트 에스 슐레히테스 베터 게벤]

날씨가 안 좋아 질까요?

Will the weather remain like this?

Wird das Wetter so bleiben?

[버트 다스 베터 소 블라이벤]

날씨가 죽 이럴까요?

Is it going to rain?

Es wird regnen?   [에스 버트 레그넨]

비가 올까요?

It's raining.

Es regnet.   [에스 레그넷]

비가 오고 있습니다.

It's snowing.

Es schneit.   [에스 쉬나잇]

눈이 내리고 있습니다.

It's stormy.

Es ist stürmisch. [에스 이스트 스튀미쉬]

폭풍우가 몰아치고 있습니다.

It's sunny.

Es ist sonnig.   [에스 이스 존니히]

해가 납니다.

It's cloudy.

Es ist bewölkt/wolkig.

[에스 이스트 베뵐크 / 볼키히]

날씨가 흐립니다.

It's foggy.

Es ist neblig.   [에스 이스트 네블리히]

안개가 꼈습니다.

It's windy.

Es ist windig.   [에스 이스트 빈디히]

바람이 붑니다.

It's icy.

Es ist eisig.　　　[에스 이스트 아이지히]

얼음이 얼었습니다.

문법 맛보기

독일어의 격은 주격(주어), 대격(직접 목적어), 여격(간접 목적어), 속격(소유격)의 네 가지 격이 있습니다. 이 4격에 해당하는 인칭대명사는 다음과 같습니다.

	주격 Nominativ	대격, 목적격 Akkusativ	여격 Dativ	속격 Genitiv
1 인칭	ich(나)	mich (나를)	mir (나에게)	meiner 나의)
2 인칭	du (너) Sie (당신)	dich (너를) Sie (당신을)	dir (너에게) Ihnen (당신에게)	deiner 너의) Ihrer(당신의)
3 인칭	er (그) sie (그녀) es (그것)	ihn (그를) sie (그녀를) es (그것을)	ihm (그에게) ihr (그녀에게) ihm (그것에게)	seiner(그의) ihrer (그녀의) seiner (그것의)
1 인칭 복수	wir (우리)	uns (우리를)	uns (우리에게)	unser (우리의)
2 인칭 복수	ihr (너희들)	euch (너희들을)	euch (너희들에게)	euer (너희의)
3 인칭 복수	sie (그들)	sie (그들을)	ihnen (그들에게)	ihrer (그들의)

< 날씨 관련 단어 >

cloud	die Wolke	구름
sun	die Sonne	해
climate	das Klima	기후
weather	das Wetter	날씨
snow	der Schnee	눈
snowstorm	das Schneegestöber	눈보라
rainbow	der Regenbogen	무지개
wind	der Wind	바람
rain	der Regen	비
frost	der Frost	서리
fog	der Nebel	안개
temperature	die Temperatur	기온
degree	der Grad	온도
humidity	die Luftfeuchtigkeit	습도
weather forecast	die Wettervorhersage	일기 예보
sleet	der Schneeregen	진눈깨비
thunder	der Donner	천둥
lightning	der Blitz	번개
storm	der Sturm	폭풍

| hurricane | der Hurrikan | 허리케인 |
| flood | die Überschwemmung | 홍수 |

< 계절 >

spring	der Frühling	봄
summer	der Sommer	여름
autumn	der Herbst	가을
winter	der Winter	겨울

Do you know where ... is?

Kennst du den Ort, an dem ... ist?

[켄스트 두 덴 오트 안 뎀... 이스트]

~가 어디에 있는지 아시나요?

I'm lost.

Ich habe mich verirrt.[이히 하베 미히 페릿]

길을 잃었어요.

Where is the nearest ....?

Wo ist der nächste ...?

[보 이스트 데어 나흐스테 ...?]

가장 가까운 ~가 어디 있나요?

How can I get to ... ?

Wie komme ich zu ... ?

[비 코메 이히 주 ...?]

어떻게 ~에 가나요?

How can I get there by foot?

Wie komme ich zu Fuß dorthin?

[비 코메 이히 주 푸스 도틴]

거기는 걸어서 어떻게 가죠?

Is it walking distance?

Ist es zu Fuß erreichbar?

[이스트 에스 주 푸스 에라히바]

걸을 만한가요?

How far is it to the next tram stop?

Wie weit ist es bis zur nächsten Straßenbahnhaltestelle?

[비 바잇 이스트 에스 비스 주어 내흐텐 스트라센반할테스텔레]

다음 트램 정류장까지 얼마나 멀죠?

What time does the next bus depart?

Wann fährt der nächste Bus ab?

[반 패아트 데어 내히테 부스 압]

다음 버스는 몇 시에 출발해요?

Where does this bus go?

Wohin fährt dieser Bus?

[보힌 파하트 디저 부스]

이 버스는 어디로 가죠?

When will we arrive at ...?

Wann kommen wir bei ... an?

[밴 코멘 비어 바이... 안]

언제 ~에 도착하나요?

Does this bus/ train stop at ...?

Hält dieser Bus/Zug an ...?

[할트 디저 부스/죽 안...?]

이 버스 / 기차~에 멈추나요?

Where do I have to get off?

Wo muss ich aussteigen?

[보 무스 이히 아우스타이겐]

어디서 내려야 해요?

Do I have to transfer?

Muss ich umsteigen?

[무스 이히 움스타이겐]

갈아타야 하나요?

Could you tell me where I have to get off?

Könnten Sie mir sagen, wo ich aussteigen muss?

[쾬텐 지 미어 사겐 보 이히 아우스타이겐 무스]

어디서 내려야하는지 알려주실 수 있으세요?

Where can I buy a ticket?

Wo kann ich eine Fahrkarte kaufen?

[보 칸 이히 아이네 파카르테 카우펜]

어디서 표를 살 수 있나요?

How much does one way / round-trip
ticket cost?

**Was kostet eine Einzelfahrkarte? / eine
Hin- und Rückfahrkarte?**

[바스 코스텟 아이네 아인젤파카르테 / 아이

네 힌 운트 룩파카르테]

편도/왕복 표 얼마예요?

Do I have to book a seat?

Muss ich einen Sitzplatz reservieren?

[무스 이히 아이넨 짓츠플랏 레제비어렌]

자리를 예매해야 하나요?

Do you have a timetable?

Haben Sie einen Fahrplan?

[하벤 지 아이넨 파프란]

시간표 있으세요?

Could you call a taxi?

Könnten Sie ein Taxi rufen?

[쾬텐 지 아인 탁시 루펜]

택시 좀 불러주실 수 있나요?

How much does it cost to go ...?

Wie viel kostet die Fahrt nach ...?

[비 비엘 코스텟 디 파하트 나흐 ...?]

~까지 가는데 얼마입니까?

Take me to this address.

Bringen Sie mich zu dieser Adresse.

[브링언 지 미히 주 디저 아드레세]

이 주소로 가주세요.

How long does it take to get there?

Wie lange dauert es, dorthin zu gelangen?

[비 랑어 다우어트 에스 도틴 주 게랑엔]

가는데 얼마나 시간이 걸려요?

Hurry up please!

Beeil dich bitte!

[바이일 디히 비테]

서둘러 주세요.

문법 맛보기

지시 대명사는 영어의 "this" 및 "that"에 해당하는 것으로, 격과 성, 수에 따라 변화합니다. '그것'의 의미로도 쓰이는 der는 관계대명사이기도 합니다.

지시대명사	남성	여성	중성	복수
Dieser 이것	dieser	diese	dieses	diese
Jener 저것	jener	jene	jenes	jene
Der 그것	der	die	das	die

< 교통 관련단어 >

traffic	der Verkehr	교통
traffic light	die Ampel	교통 신호
crosswalk	der Zebrastreifen	횡단 보도
bridge	die Brücke	다리
way	der Weg	길
taxi	das Taxi	택시
tram	die Straßenbahn	트램
bus	der Bus	버스
bus stop	die Bushaltestelle	버스 정류장
sidewalk	der Gehweg	보도
bus driver	der Busfahrer	버스 운전사
passenger	der Fahrgast	승객
seat belt	der Sicherheitsgurt	안전 벨트
car	das Auto	자동차
bike	das Fahrrad	자전거
station	die Station	정류장
subway	die U-Bahn	지하철
train	der Zug	기차
railway	die Eisenbahn	철도

train station	der Bahnhof	역
timetable	der Fahrplan	시간표
round-trip ticket	die Hin- und Rückfahrkarte	왕복표
oneway ticket	die einfache Fahrkarte	편도표

< 방위 >

east	der Osten	동쪽
west	der Westen	서쪽
south	der Süden	남쪽
north	der Norden	북쪽

관 광

Where is the tourist office?

Wo ist das Touristenbüro?

[보 이스트 다스 투리스텐뷔로]

안내 센터는 어디죠?

Any good place to visit?

Gibt es hier gute Orte zu besuchen?

[깁 에스 히어 구테 오르테 주 베수흔]

가볼 만한 곳이 어디인가요?

Do you have a city map?

Haben Sie eine Stadtkarte?

[하벤 지 아이네 스탓카르테]

시내 지도 있어요?

Can you mark it on the map?

Können Sie es auf der Karte markieren?

[쾨넨 지 에스 아프 데어 카르테 마키허렌]

지도에 표시해 줄 수 있으세요?

Could you take a photo of us?

Könnten Sie ein Foto von uns machen?

[쾬텐 지 아인 포토 폰 운스 마흔]

저희 사진 좀 찍어주시겠어요?

Can I take photos?

Kann ich Fotos machen?

[칸 이히 포토스 마흔]

사진 찍어도 되나요?

When is here open / closed?

Wann ist es hier geöffnet / geschlossen?

[벤 이스트 에스 히어 게외프넷 / 게쉬로센]

여기는 언제 열어요?/ 닫아요?

Do you have a group discount?

Gibt es eine Gruppenrabatt?

[깁 에스 아이네 그루펜라밧]

그룹 할인이 있나요?

Do you have a student discount?

Gibt es einen Studentenrabatt?

[깁 에스 아이넨 스투덴텐라밧]

학생 할인 있나요?

Where can I do ...?

Wo kann ich ... machen?

[보 칸 이히...마흔]

어디서 ~를 할 수 있죠?

Is there … nearby?

Gibt es ... in der Nähe?

[깁 에스... 인 데어 내허]

주변에 ~가 있나요?

Are there guided tours?

Gibt es geführte Touren?

[깁 에스 게퓌어테 투흔]

가이드 투어가 있나요?

How long does it take?

Wie lange dauert es?

[비 랑에 다우어트 에스]

얼마나 걸려요?

Do we have free time?

Haben wir Freizeit?

[하벤 비어 프라이자잇]

자유 시간 있어요?

How much free time do we have?

Wie viel Freizeit haben wir?

[비 비엘 프라이자잇 하벤 비어]

자유 시간 얼마나 있어요?

< 장소 관련단어 >

church	die Kirche	교회
Internet cafe	das Internetcafé	PC방
police station	die Polizeistation	경찰서
park	der Park	공원
palace	der Palast	궁전
theater	das Theater	극장
university	die Universität	대학
library	die Bibliothek	도서관
zoo	der Zoo	동물원
restaurant	das Restaurant	식당
beauty salon	das Schönheitssalon	미용실
bar	die Bar	바
museum	das Museum	박물관
department store	das Kaufhaus	백화점
hospital	das Krankenhaus	병원
bakery	die Bäckerei	빵집
bookstore	die Buchhandlung	서점
castle	das Schloss	성
cathedral	der Dom	성당
fire station	die Feuerwache	소방서

swimming pool	das Schwimmbad	수영장
supermarket	der Supermarkt	슈퍼마켓
town hall	das Rathaus	시청
shoe store	der Schuhladen	신발가게
pharmacy	die Apotheke	약국
cinema	das Kino	영화관
clothing store	das Bekleidungsgeschäft	옷가게
amusement park	der Vergnügungspark	유원지
butcher shop	der Metzgerei	정육점
kiosk	der Kiosk	키오스크
school	die Schule	학교
port	der Hafen	항구

< 관광 관련 단어 >

guidebook	der Reiseführer	가이드북
sightseeing	die Besichtigung	관광
tourist office	das Tourismusbüro	관광 안내소
tourist	der Tourist	관광객
gift shop	der Geschenkeladen	기념품점
ticket office	das Fahrkartenschalter	매표소
lost and found	das Fundbüro	분실물 사무소
photo	das Foto	사진
honeymoon	die Flitterwochen	신혼 여행
brochure	die Broschüre	안내 책자
trip	die Reise	여행
reservation	die Reservierung	예약
itinerary	der Reiseplan	일정표
ticket	die Eintrittskarte	입장권
entrance fee	der Eintrittspreis	입장료
free time	die Freizeit	자유 시간
map	die Karte	지도
queue	die Warteschlange	차례, 줄
business trip	die Dienstreise	출장

16 공 항

16-1) 출국 시

Where is your destination?

Wo ist Ihr Ziel?

[보 이스트 이어 지엘]

어디로 가십니까?

Show me your passport, please.

Zeigen Sie mir bitte Ihren Pass.

[자이겐 지 미에 비테 이허런 파스]

여권 보여주세요.

I want to confirm / cancel / change
my reservation.

**Ich möchte meine Reservierung
bestätigen / stornieren / ändern.**

[이히 모히테 마이네 레제르비허룽 베스태티
건/ 스토르니어렌 / 안데른]

예약을 확인/취소/변경하고 싶어요.

I booked online.

Ich habe online gebucht.

[이히 하베 온라인 게북트]

인터넷으로 예약했어요.

I want a window / aisle seat.

Ich möchte einen Fensterplatz / Gangplatz.

[이히 모히테 아이넨 펜스테플랏츠 / 강플랏
츠]

창가 쪽/복도 쪽 좌석 주세요.

How many suitcases are allowed?

Wie viele Taschen sind erlaubt?

[비 비엘 타셴 진트 에어라웁트]

수화물 몇 개까지 허용돼요?

Which gate should I go to?

Zu welchem Gate muss ich gehen?

[주 벨헴 게잇 무스 이히 게헨]

몇 번 게이트로 가야하나요?

Until what time can I check-in?

Bis wann kann ich einchecken?

[비스 반 칸 이히 아인체켄]

몇 시까지 체크인할 수 하나요?

The departure is delayed.

Der Abflug verzögert sich.

[데어 압프룽 베조겟 지히]

출발이 지연되었습니다.

The flight was canceled.

Der Flug wurde abgesagt.

[데어 프룩 부어데 압게삭트]

비행기가 취소되었습니다.

Fasten your seatbelt!

Schnallen Sie sich an!

[슈날렌 지 지히 안]

안전벨트를 착용해 주십시오.

Return to your seat!

Gehen Sie zurück zu Ihrem Platz.

[게헨 지 주룩 주 이히렘 플랏츠]

자리로 돌아가 주십시오.

I want something to drink.

Ich möchte etwas zu trinken.

[이히 모히테 에트바스 주 트링켄]

마실 것 좀 주세요.

Is this seat taken?

Ist dieser Platz frei?

[이스트 디저 플랏츠 프라이]

이 자리 비었나요?

Turn off your cellphone!

Schalten Sie Ihr Handy aus!

[샬텐 지 이어 핸디 아우스]

휴대전화를 꺼주세요.

16-2) 입국 시

What is the purpose of your visit?

Was ist der Zweck Ihrer Reise?

[바스 이스트 데어 즈벡 이허러 하이제]

여행 목적은 무엇입니까?

I am on a business trip.

Ich bin auf Geschäftsreise.

[이히 빈 아프 게샤프트라이제]

Ich bin geschäftlich unterwegs.

[이히 빈 게샤프리히 운터벡]

출장 중입니다.

I'm here on vacation.

Ich bin im Urlaub hier.

[이히 빈 임 우어랍 히어]

여기 휴가로 왔어요.

I'm here with a tourist group.

Ich bin mit einer Reisegruppe hier.

[이히 빈 밋 아이너 라이세그루페 이허]

단체 여행으로 왔습니다.

I'm visiting families.

Ich besuche Familie.

[이히 베수허 파밀리]

가족을 만나러 왔습니다.

Where will you be staying?

Wo werden Sie übernachten?

[보 베르덴 지 우버나흔]

어디에서 지내실 겁니까?

How long are you going to be here?

Wie lange werden Sie hier sein?

[비 랑어 베르덴 지 히어 자인]

얼마 동안 머물 예정입니까?

A couple of days.

(Ich werde hier sein) Ein paar Tage.

[(이히 베르데 히어 자인) 아인 파 타거]

며칠간만요.

I am here for three weeks.

Ich bin hier für drei Wochen.

[이히 빈 히어 퓌어 드라이 보흔]

3주 동안 있을 겁니다.

Do you have anything to declare?

Haben Sie etwas zu verzollen?

[하벤 지 에트바스 주 베조렌]

신고할 것 있으십니까?

I have nothing to declare.

Ich habe nichts zu verzollen.

[이히 하베 니히트 주 베조렌]

신고할 것 없습니다.

Where can I get my luggage?

Wo kann ich mein Gepäck bekommen?

[보 칸 이히 마인 게팩 베코멘]

어디서 가방을 찾나요?

My luggage has disappeared.

Mein Gepäck ist verschwunden.

[마인 게팩 이스트 베르쉬분덴]

제 가방이 없어졌습니다.

I can't find my luggage.

Ich kann mein Gepäck nicht finden.

[이히 칸 마인 게펙 니히트 핀덴]

제 가방을 찾을 수가 없어요.

How can I get to downtown from the airport?

Wie komme ich vom Flughafen ins Stadtzentrum? [비 코메 이히 폼 푸룩하벤 인스 스탓센트룸]

공항에서 시내에 가려면 어떻게 해야 하나요?

Is there a bus that goes to the cityhall?

Gibt es einen Bus zum Rathaus?

[깁 에스 아이넨 부스 줌 랏하우스]

시청까지 가는 버스가 있나요?

Is there a train that departs from the airport?

Gibt es einen Zug, der vom Flughafen abfährt?   [깁 에스 아이넴 죽 데어 폼 프룩하펜 압파하트]

공항에서 출발하는 기차가 있나요?

문법 맛보기

소유 관사는 소유를 나타내며, 종류는 다음과같습니다.

소유 관사 종류: mein (나의), dein (너의), sein (그의), ihr (그녀의), sein (그것의), unser (우리의), euer (너희의), ihr (그들의), Ihr (당신의, 당신들의)

"mein-"은 1인칭 단수의 소유관사로 어미변화는 아래와 같습니다.

격	남성	여성	중성	복수
주격	mein Vater 내 아빠	meine Mutter 내 엄마	mein Kind 내 아이	meine Leute 내 사람들
대격	meinen Vater 내 아빠를	meine Mutter 내 엄마를	mein Kind 내 아이를	meine Leute 내 사람들을
여격	meinem Vater 내 아빠에게	meiner Mutter 내 엄마에게	meinem Kind 내 아이에게	meinen Leute 내 사람들에게
속격	meines Vaters 내 아빠의	meiner Mutter 내 엄마의	meines Kindes 내 아이의	meiner Leute 내 사람들의

< 공항 관련 단어 >

airport	der Flughafen	공항
domestic flight	der Inlandsflug	국내선
nationality	die Nationalität	국적
international flight	der Auslandsflug	국제선
hand luggage	das Handgepäck	기내 수하물
duty free shop	der Zollfreiladen	면세점
airplane	das Flugzeug	비행기
plane ticket	das Flugticket	비행기 표
visa	das Visum	사증, 비자
customs	der Zoll	세관
tax	die Steuer	세금
stopover	der Zwischenstopp	스탑 오버
passport	der Reisepass	여권
foreign country	das Ausland	외국
checked in bagage	das aufgegebene Gepäck	위탁 수하물
airline	die Fluggesellschaft	항공사
flight	der Flug	항공편
flight number	die Flugnummer	항공편 번호

17

쇼 핑

Where can I buy …?

Wo kann ich … kaufen?

[보 칸 이히 … 카우펜]

어느 곳에서 ~ 살 수 있죠?

When do you open?

Wann öffnen Sie? [반 외프넨 지]

언제 열어요?

How can I help you?

Wie kann ich Ihnen helfen?

[비 칸 이히 이넨 헬펜]

무엇을 도와드릴까요?

No thank you, I'm just looking around.

Nein, danke. Ich schaue mich nur um.

[나인 당케 이히 샤우어 미히 누어 움]

괜찮아요, 그냥 보는 거예요.

I am looking...

Ich suche...   [이히 수허...]

~ 찾고 있는데요.

Do you sell...?

Verkaufen Sie...?   [베르카우펜 지...?]

~ 파나요?

Can I try it on?

Kann ich es anprobieren?

[칸 이히 에스 안프로비어렌]

입어 봐도 되나요?

Do you have bigger / smaller size?

Haben Sie eine größere/kleinere Größe?

[하벤 지 아이네 그로세레 / 클라이네레 그로세]

큰/작은 사이즈는 없나요?

Don't you have anything cheaper?

Haben Sie nichts gnstigeres?

[하벤 지 니히트 귄스티게헤스]

싼 것은 없나요?

How much does this cost?

Wie viel kostet das?

[비 비엘 코스텟 다스]

이것은 얼마예요?

Do you need anything else?

Brauchen Sie noch etwas?

[브라우헌 지 노흐 에트바스]

또 필요한 것은 없으세요?

No, thank you. Nothing else.

Nein, danke. Nichts mehr.

[나인 당케 니히트 메어]

네 다른 것은 필요 없어요.

How much is it in total?

Wie viel kostet das insgesamt?

[비 비엘 코스텟 다스 인스게삼트]

모두 얼마죠?

It's inexpensive / expensive.

Es ist billig. /teuer.

[에스 이스트 빌릭 / 토이어]

싸네요. / 비싸네요.

Can you lower the price?

Können Sie den Preis senken?

[쾨넨 지 덴 프라이스 셍켄]

깎아 주실 수 있으세요?

Do you accept credit cards?

Akzeptieren Sie Kreditkarten?

[악젭티어렌 지 크레딧카텐]

신용카드로 계산되나요?

Can I get a receipt?

Kann ich eine Quittung bekommen?

[칸 이히 아이네 크비퉁 베코멘]

영수증 좀 주실래요?

Can I have a plastic bag?

Kann ich eine Plastiktüte haben?

[칸 이히 아이네 플라스틱퇏트 하벤]

봉지 좀 주실래요?

This is broken.

Das ist kaputt. [다스 이스트 카풋]

이거 망가졌어요.

This is damaged.

Das ist beschädigt. [다스 이스트 베세디히]

이거 손상이 있어요.

I'd like to exchange this.

Ich möchte das umtauschen.

[이히 모히테 다스 움타우셴]

이것을 교환하고 싶어요.

문법 맛보기

1. 평서문: 주어 - 동사 - 목적어(SVO)

2. 의문문 예/아니오 질문: 동사 - 주어(VS)
   Liest du ein Buch? (책을 읽고 있나요?)
   의문사 질문: 의문사 - 동사 - 주어(WVS)
   Was liest du? (무엇을 읽습니까?)

3. 명령문
-du 명령형: 부정사에서 어미 "-en"을 제거합니다. 부정 명령은 동사 뒤에 "nicht"를 추가합니다.
   Mach das!(그렇게 해!) Mach nicht das! (그러지 마!)

- ihr 명령형: ihr의 현재형을 문장 앞에 위치시킵니다.
   Macht das! (너희들 그렇게 해!)

- Sie 명령형: 동사의 부정형이 문장 맨 앞에 오고 Sie를 붙입니다. 청유문의 구성이기도 합니다.
   Machen Sie das! (그렇게 하세요!)

< 쇼핑 관련 단어 >

cashier	der Kassierer / die Kassiererin	계산원
cost	die Kosten	가격
size	die Größe	사이즈
store	das Geschäft /der Laden	상점
gift	das Geschenk	선물
discount	der Rabatt	할인
customer	der Kunde / die Kundin	손님
shopping street	die Einkaufsstraße	쇼핑 거리
shopping center	das Einkaufszentrum	쇼핑몰
receipt	der Kassenbon	영수증
opening hour	die Öffnungszeiten	영업 시간
entrance	der Eingang	입구
clerk	der Verkäufer / die Verkäuferin	점원
exit	der Ausgang	출구
fashion	die Mode	패션
sold out	ausverkauft	매진
quality	die Qualität	품질
dressing room	die Umkleidekabine	피팅 룸
refund	die Rückerstattung	환불

< 옷, 패션 관련 단어 >

tie	die Krawatte	넥타이
hat	der Hut	모자
pants	die Hose	바지
belt	der Gürtel	벨트
blouse	die Bluse	블라우스
raincoat	der Regenmantel	우비
shirt	das Hemd	셔츠
underwear	die Unterwäsche	속옷
handkerchief	das Taschentuch	손수건
swimsuit	der Badeanzug	수영복
shawl	der Schal	스카프
skirt	der Rock	스커트
pantyhose	die Strumpfhose	스타킹
shoes	die Schuhe	신발
socks	die Socken	양말
gloves	die Handschuhe	장갑
jacket	die Jacke	재킷
jeans	die Jeans	청바지
coat	der Mantel	코트
cardigan	der Cardigan	가디건

< 치장, 미용 관련 단어 >

handbag	die Handtasche	핸드백
earring	der Ohrring	귀걸이
wallet	die Brieftasche	지갑
coin wallet	das Münzportemonnaie	동전 지갑
lipstick	der Lippenstift	립스틱
comb	der Kamm	빗
sunglasses	die Sonnenbrille	선글라스
massage	die Massage	마사지
nail polish	der Nagellack	매니큐어 액
reflector	der Reflektor	반사체
wristwatch	die Armbanduhr	손목시계
eyeliner	der Eyeliner	아이라이너
sunscreen	die Sonnencreme	선 블록
perfume	das Parfüm	향수
deodorant	das Deodorant	데오드란트
eye shadow	der Lidschatten	아이섀도
makeup	das Make-up	화장
glasses	die Brille	안경
bracelet	das Armband	팔찌
necklace	die Halskette	목걸이

< 색 >

red	das Rot	빨강색
pink	das Rosa	분홍색
orange	das Orange	주황색
yellow	das Gelb	노란색
green	das Grün	녹색
blue	das Blau	파랑색
purple	das Lila	보라색
brown	das Braun	갈색
gray	das Grau	회색
black	das Schwarz	검은색
white	das Weiß	흰색

18

숙 박

Do you have rooms available?

Haben Sie Zimmer frei?

[하벤 지 짐머 프라이]

빈 방 있습니까?

Do you have a single / double room?

Haben Sie Einzel-/ Doppelzimmer?

[하벤 지 아인젤 / 도펠 짐머]

싱글/더블룸 있나요?

I will stay one night. /3 nights.

Ich werde eine Nacht /drei Nächte bleiben.

[이히 베르데 아이네 나흐트 / 드라이 나흐테

블라이벤]

1 박 / 3 박 묵겠습니다.

I have a room booked under the name of ...

Ich habe ein Zimmer unter dem Namen ...

reserviert. [이히 하베 아인 짐머 운터 뎀 나

멘... 레제비엇]

~란 이름으로 예약했습니다.

How much is it per night?

Wie viel kostet es pro Nacht?

[비 빌 코세텟 에스 프로 나흐트]

하룻밤에 얼마예요?

Does the price include breakfast?

Ist das Frühstück im Preis inbegriffen?

[이스트 다스 프뤽스툭 임 프라이스 인베그리펜]

아침 포함된 가격인가요?

What time is breakfast?

Um wie viel Uhr gibt es Frühstück?

[움 비 비엘 우어 깁 에스 프룩스툭]

몇 시에 아침인가요?

I want a room with a bathroom.

Ich möchte ein Zimmer mit einem Badezimmer.

[이히 모히테 아인 짐머 밋 아이넴 배드짐머]

화장실 딸린 방으로 주세요.

How long are you planning to stay?

Wie lange planen Sie zu bleiben?

[비 랑어 플라넨 지 주 블라이벤]

얼마 동안 머물 예정이십니까?

You need to pay in advance.

Sie müssen im Voraus bezahlen.

[지 무센 임 보하우스 베잘렌]

미리 지불하셔야 합니다.

Where can I use the Internet?

Wo kann ich das Internet benutzen?

[보 칸 이히 다스 인테르넷 베눗젠]

어디서 인터넷을 쓸 수 있죠?

Is there a free wifi available here?

Gibt es hier kostenloses WLAN?

[깁 에스 히어 코스텐로세스 베란]

무료 와이파이가 있나요?

What is the wifi password?

Was ist das WLAN-Passwort?

[바스 이스트 다스 베란 파스보트]

와이파이 비밀번호가 무엇인가요?

Could you give me my room key?
The room number is….

Könnten Sie mir meinen Zimmerschlüssel
geben? Die Zimmernummer ist...

[쾬텐 지 미어 마이넴 짐머슈루셀 게벤? 디
짐머눔머 이스트...]

제방 열쇠를 주세요. 방 번호는~입니다.

Could you wake me up at ...?

Könnten Sie mich um ... Uhr wecken?

[쾬텐 지 미히 움... 우어 베켄]

~시에 깨워줄 수 있으세요?

The room is too noisy.

Das Zimmer ist zu laut.

[다스 짐머 이스트 주 라웃]

방에 소음이 심해요.

The toilet is clogged.

Die Toilette ist verstopft.

[디 토일레테 이스트 페스톱트]

화장실이 막혔어요.

The heater does not work.

Die Heizung funktioniert nicht.

[디 하이충 풍션니어트 니히트]

히터가 고장 났어요.

I left my key in the room.

Ich habe meinen Schlüssel im Zimmer gelassen.

[이히 하베 마이넴 슈루셀 임 짐머 게라센]

방에 열쇠를 두고 나왔어요.

The room has not been cleaned.

Das Zimmer wurde nicht gereinigt.

[다스 짐머 부어데 니히트 게리닝트]

방이 치워지지 않았어요.

We don't have electricity.

Wir haben keinen Strom.

[비어 하벤 카이넨 스트롬]

전기가 안들어와요.

The lights are off.

Die Lichter sind aus.

[디 리히터 진 아우스]

불이 나갔어요.

The TV is out of order.

Der Fernseher ist außer Betrieb.

[데어 페헌제어 이스트 아우셔 베트립]

TV 가 고장났어요.

Can you give me an extra blanket?

Können Sie mir eine zusätzliche Decke geben?

[퀸넨 지 미어 아이네 주젯츠리혀 덱케 게벤]

이불 하나만 더 주세요.

Could you store my luggage?

Könnten Sie mein Gepäck aufbewahren?

[퀸텐 지 마인 게펙 아우프베바렌]

짐 좀 맡아 주시겠어요?

I would like to check out.

Ich möchte auschecken.

[이히 모히테 아우스체켄]

체크아웃 하고자 합니다.

< 숙박, 건물 관련 단어 >

building	das Gebäude	건물
double room	das Doppelzimmer	더블룸
room service	der Zimmerservice	룸 서비스
room	das Zimmer	방
single room	das Einzelzimmer	싱글룸
apartment	die Wohnung	아파트
elevator	der Aufzug	엘리베이터
house	das Haus	집
check out	das auschecken	체크아웃
check in	das einchecken	체크인
floor	die Etage	층
porter	der Portier	포터
reception	die Rezeption	리셉션
hostel	das Hostel	호스텔
hotel	das Hotel	호텔

< 방 안, 사물 관련 단어 >

living room	das Wohnzimmer	거실
mirror	der Spiegel	거울
refrigerator	der Kühlschrank	냉장고
hair dryer	der Haartrockner	헤어 드라이어
lamp	die Lampe	램프
door	die Tür	문
balcony	der Balkon	발코니
pillow	das Kissen	베개
kitchen	die Küche	부엌
soap	die Seife	비누
sauna	die Sauna	사우나
shower	die Dusche	샤워
shampoo	das Shampoo	샴푸
washing machine	die Waschmaschine	세탁기
couch	das Sofa	소파
towel	das Handtuch	수건
key	der Schlüssel	열쇠
oven	der Ofen	오븐
bathroom	das Badezimmer	욕실

bathtub	die Badewanne	욕조
chair	der Stuhl	의자
comforter	die Bettdecke	이불
wardrobe	der Kleiderschrank	장롱
window	das Fenster	창
toothpaste	die Zahnpasta	치약
bed	das Bett	침대
bedroom	das Schlafzimmer	침실
toothbrush	die Zahnbürste	칫솔
curtain	der Vorhang	커튼
table	der Tisch	탁자
TV	der Fernseher	텔레비젼
toilet	die Toilette	화장실

< 문구 관련 단어 >

scissor	die Schere	가위
ballpoint pen	der Kugelschreiber	볼펜
envelope	der Umschlag	봉투
dictionary	das Wörterbuch	사전
tape	das Klebeband	테이프
newspaper	die Zeitung	신문
pen	der Stift	펜
journal	das Journal	잡지
glue	der Klebstoff	접착제
eraser	der Radiergummi	지우개
paper	das Papier	종이
book	das Buch	책
pencil	der Bleistift	연필

19

식 당

I'd like to book a table.

Ich möchte einen Tisch reservieren.

[이히 모히테 아이넨 티쉬 레제비허렌]

자리 예약하고 싶습니다.

For how many (people)?

Für wie viele Personen?

[퓌어 비 비에레 페르조넨]

몇 분이시죠?

A table for two people, please.

Einen Tisch für zwei Personen, bitte.

[아이넨 티쉬 퓌어 즈바이 페르조넨 비테]

2 명 자리 부탁해요.

Do you have any available tables?
Haben Sie einen freien Tisch?
[하벤 지 아이넨 프라이넨 티쉬]
자리 있나요?

Could you wait a moment?
Könnten Sie einen Moment warten?
[쾬텐 지 아이넨 모멘트 바텐]
좀 기다려 주시겠습니까?

How long do I have to wait?
Wie lange muss ich warten?
[비 랑게 무스 이히 바텐]
얼마나 기다려야 하나요?

Can I sit here?

Kann ich hier sitzen? [칸 이히 히어 싯젠]

여기 앉아도 돼요?

I'm hungry.

Ich habe Hunger.   [이히 하베 훙어]

배가 고파요.

I'm thirsty.

Ich habe Durst.   [이히 하베 두어스트]

목이 마릅니다.

Can I see the menu?

Kann ich die Speisekarte sehen?

[칸 이히 디 스파이제카르테 제엔]

메뉴 좀 볼 수 있을까요?

What kind of food is this?

Was für ein Essen ist das?

[바스 퓌어 아인 에센 이스트 다스]

이 음식은 무엇인가요?

Would you like to order?

Möchten Sie bestellen?

[뫼히텐 지 베스텔렌]

주문하시겠습니까?

I have not decided yet.

Ich habe mich noch nicht entschieden.

[이히 하베 미히 노흐 니히트 엔쉬덴]

아직 결정을 못 했어요.

What would you recommend?

Was würden Sie empfehlen?

[바스 뷔어데 지 엠페렌]

무엇을 추천하시나요?

Can I get this without...?

Kann ich das ohne... bekommen?

[칸 이히 다스 오네... 베코멘]

이 음식에서 ~ 빼주실 수 있으세요?

I cannot eat pork.

Ich kann kein Schweinefleisch essen.

[이히 칸 카인 스바이네플라이쉬 에센]

돼지 고기를 못 먹어요.

This is not what I ordered.

Das ist nicht das, was ich bestellt habe.

[다스 이스트 니히트 다스 바스 이히 베스텔
하베]

이것은 제가 시킨 것이 아니에요.

Enjoy your meal!

Guten Appetit!

[구텐 아페팃]

맛있게 드세요.

This tastes good.

Das schmeckt gut.

[다스 슈멕 굿]

이거 맛있네요.

Bill please.

Die Rechnung, bitte.

[디 레히눙 비테]

계산서를 주세요.

< 식당 관련 단어 >

bill	die Rechnung	계산서
knife	das Messer	나이프
napkin	die Serviette	냅킨
lemonade	die Limonade	레모네이드
beer	das Bier	맥주
menu	die Speisekarte	메뉴
main course	der Hauptgang	메인 코스
water	das Wasser	물
barbecue	das Grillen	바비큐
butter	die Butter	버터
bread	das Brot	빵
salad	der Salat	샐러드
sugar	der Zucker	설탕
salt	das Salz	소금
sauce	die Soße	소스
soup	die Suppe	수프
steak	das Steak	스테이크
spoon	der Löffel	스푼
ice cream	das Eis	아이스크림
starter	die Vorspeise	에피타이저

omelette	das Omelett	오믈렛
wine	der Wein	와인
yoghurt	der Joghurt	요구르트
milk	die Milch	우유
waiter	der Kellner	웨이터
mashed potatoes	das Kartoffelbrei	으깬감자
jam	die Marmelade	잼
juice	der Saft	주스
tea	der Tee	차
chocolate	die Schokolade	초콜릿
coffee	der Kaffee	커피
cup	die Tasse	컵
cake	der Kuchen	케이크
pancake	der Pfannkuchen	팬케이크
fork	die Gabel	포크
pizza	die Pizza	피자
dessert	das Dessert	후식
pepper	der Pfeffer	후추

< 식품 관련 단어 >

crab	die Krabbe	게
potato	die Kartoffel	감자
meat	das Fleisch	고기
fruit	das Obst	과일
egg	das Ei	달걀
chicken meat	das Hühnerfleisch	닭고기
carrot	die Karotte	당근
cod	der Kabeljau	대구
pork	das Schweinefleisch	돼지고기
strawberry	die Erdbeere	딸기
lemon	die Zitrone	레몬
garlic	der Knoblauch	마늘
melon	die Melone	멜론
banana	die Banane	바나나
pear	die Birne	배
mushroom	der Pilz	버섯
peach	der Pfirsich	복숭아
blueberry	die Heidelbeere	블루 베리
apple	der Apfel	사과
shrimp	die Garnele	새우

fish	der Fisch	생선
beef	das Rindfleisch	소고기
sausage	die Wurst	소세지
trout	die Forelle	송어
watermelon	die Wassermelone	수박
reindeer meat	das Rentierfleisch	순록고기
rice	der Reis	쌀
lamb	das Lammfleisch	양고기
cabbage	der Kohl	양배추
onion	die Zwiebel	양파
salmon	der Lachs	연어
orange	die Orange	오렌지
duck meat	das Entenfleisch	오리고기
cucumber	die Gurke	오이
olives	die Oliven	올리브
pea	die Erbse	완두콩
tuna	der Thunfisch	참치
vegetables	das Gemüse	채소
herring	der Hering	청어
cheese	der Käse	치즈
bean	die Bohne	콩
tomato	die Tomate	토마토

pineapple	die Ananas	파인애플
grape	die Weintraube	포도
ham	der Schinken	햄

20

병 원

Where does it hurt?

Wo tut es Ihnen weh?

[보 툿 에스 이넨 베]

어디가 아프세요?

I'm injured.

Ich bin verletzt.   [이히 빈 베레츠트]

다쳤어요.

It hurts.

Es tut weh. [에스 툿 베]

Es schmerzt. [에스 슈메아츠]

아파요.

I feel sick.

Mir ist übel. [미어 이스트 위벨]

몸이 안 좋아요.

I feel queasy.

Mir ist schlecht. [미어 이스트 슈레히트]

메스꺼워요.

I don't feel good.

Mir geht es nicht gut.

[미어 게 에스 니히트 굿]

기분이 좋지 않습니다.

I have the flu.

Ich habe die Grippe. [이히 하베 디 그리페]

독감에 걸렸어요.

I have a cold.

Ich habe eine Erkältung.

[이히 하베 아이네 에켈퉁]

감기에 걸렸어요.

I'm tired.

Ich bin müde.

[이히 빈 뮈데]

피곤해요.

I'm allergic to ....

Ich bin allergisch gegen ....

[이히 빈 알레르기쉬 게겐 ....]

~에 알레르가가 있어요.

I have pain in …

Ich habe Schmerzen in ...

[이히 하베 슈메르젠 인 ...]

~가 아파요.

I have a cough / runny nose / fever / chills.

Ich habe Husten / eine laufende Nase (Schnupfen) / Fieber / Schüttelfrost.

[이히 하베 후스텐 / 아이네 라우펜데 나세 (슈누펜) / 피버 / 슈트텔프로스트]

기침/콧물/열/오한 있어요.

I have diarrhea.

Ich habe Durchfall. [이히 하베 두어쉬팔]

설사해요.

I have a headache / stomachache / toothache.

Ich habe Kopfschmerzen / Bauchschmerzen / Zahnschmerzen.

[이히 하베 콥슈메르젠 / 바우슈메르젠 / 쟌슈메르젠]

두통/복통/치통이 있어요.

Mein Kopf/Bauch/Zahn tut weh.

[마인 콥 / 바우/ 잔 툿 베]

내 머리, 배, 치아가 아파요.

I have a sore throat.

Ich habe Halsschmerzen.

[이히 하베 할슈메르젠]

목이 부었어요.

I feel dizzy.

Mir ist schwindelig.

[미어 이스트 슈빈데리히]

어지러워요.

My nose is blocked.

Meine Nase ist verstopft.

[마이네 나세 이스트 페르스톱]

코가 막혔어요.

문법 맛보기

분리형 동사는 주 동사에 분리형 접두사를 붙여 하나의 단어로 보이나, 주절, 명령문, zu 부정사 구조와 같은 특정 문장 구조에서 분리가 발생합니다. 분리형 접두사는 주동사에서 분리되어 문장 끝에 배치됩니다.

aufstehen(일어나다): Ich stehe um 7 Uhr <u>auf</u>.

(저는 7시에 일어납니다.)

aufmachen(열다): Mach das Fenster <u>auf</u>! (창문을 열어!)

< 신체 관련 단어 >

breast	die Brust	가슴
ear	das Ohr	귀
eye	das Auge	눈
bone	der Knochen	뼈
back	der Rücken	등
head	der Kopf	머리
hair	das Haar	머리카락
throat	die Kehle	목구멍
neck	der Hals	목
knee	das Knie	무릎
foot	der Fuß	발
toe	die Zehe	발가락
ankle	der Knöchel	발목
stomach	der Magen	배
bellybutton	der Bauchnabel	배꼽
cheek	die Wange	뺨
hand	die Hand	손
finger	der Finger	손가락
wrist	das Handgelenk	손목
body	der Körper	신체

shoulder	die Schulter	어깨
face	das Gesicht	얼굴
forehead	die Stirn	이마
mouth	der Mund	입
teeth	die Zähne	치아
nose	die Nase	코
chin	das Kinn	턱
arm	der Arm	팔
elbow	der Ellenbogen	팔꿈치
skin	die Haut	피부
thigh	der Oberschenkel	허벅지

21

긴 급

Help!

Hilfe! [힐페]

도와줘요!

Be careful!

Vorsicht! [포지히]

조심해요!

Fire!

Feuer! [퐈이어]

불이야!

Stop!

Stopp!   [슈탑]

멈춰요!

Quickly!

Schnell!   [슈넬]

빨리요!

Police!

Polizei!   [폴리자이]

경찰!

Call an ambulance!

Rufen Sie einen Krankenwagen!

[루펜 지 아이넨 크랑켄바겐]

구급차를 불러주세요.

I forgot ...

Ich habe vergessen ...[이히 하베 베르게센...]

~을 잊어버렸어요.

I lost ...

Ich habe verloren ... [이히 하베 베로흔...]

~을 잃어버렸어요.

Did you find my ...?

Haben Sie mein ... gefunden?

[하벤 지 마인... 게퓐덴]

내 ~을 찾았나요?

My ... has been stolen.

Mein ... wurde gestohlen.

[마인 ... 부어데 게슈토렌]

내 ~가 도둑맞았아요.

Call the police!

Rufen Sie die Polizei!

[루펜 지 디 폴리자이]

경찰을 불러주세요.

I'm innocent.

Ich bin unschuldig.

[이히 빈 운슐디히]

나는 무죄에요.

I want a lawyer.

Ich möchte einen Anwalt.

[이히 모히테 아이넨 안발트]

변호사를 원합니다.

문법 맛보기

* 형용사 격변화

1) 부정관사(ein, kein, mein, etc.)류+형용사+명사: 혼합변화

주격	대격	여격	속격
ein guter Freund (한 좋은 친구)	**einen guten** Freund (한 좋은 친구를)	**einem guten** Freund (한 좋은 친구에게)	**eines guten** Freundes (한 좋은 친구의)
eine schöne Blume (한 예쁜 꽃)	**eine** schöne Blume (한 예쁜 꽃을)	**einer** schönen Blume (한 예쁜 꽃에)	**einer** schönen Blume (한 예쁜 꽃의)
ein kleines Kind (한 작은 아이)	**ein** kleines Kind (한 작은 아이를)	**einem** kleinen Kind (한 작은 아이에게)	**eines** kleinen Kindes (한 작은 아이의)

2) 정관사(der, die, das)류+형용사+명사: 약변화

주격	대격	여격	속격
der gute Freund (그 좋은 친구)	**den guten** Freund (그 좋은 친구를)	**dem guten** Freund (그 좋은 친구에게)	**des guten** Freundes (그 좋은 친구의)
die schöne Blume (그 예쁜 꽃)	**die** schöne Blume (그 예쁜 꽃을)	**der** schönen Blume (그 예쁜 꽃에)	**der** schönen Blume (그 예쁜 꽃의)
das kleine Kind (그 작은 아이)	**das** kleine Kind (그 작은 아이를)	**dem** kleinen Kind (그 작은 아이에게)	**des** kleinen Kindes (그 작은 아이의)
die guten Freunde (그 좋은 친구들)	**die guten** Freunde (그 좋은 친구들을)	**den guten** Freunden (그 좋은 친구들에게)	**der guten** Freunde (그 좋은 친구들의)

3) (무관사) 형용사+명사: 강변화

주격	대격	여격	속격
guter Freund (좋은 친구)	guten Freund (좋은 친구를)	gutem Freund 좋은 친구에게)	guten Freundes (좋은 친구의)
schöne Blume (예쁜 꽃)	schöne Blume (예쁜 꽃을)	schöner Blume (예쁜 꽃에게)	schöner Blume (예쁜 꽃의)
kleines Kind (작은 아이)	kleines Kind (작은 아이를)	kleinem Kind (작은 아이에게)	kleinen Kindes (작은 아이의)
gute Freunde (좋은 친구들)	gute Freunde (좋은 친구들을)	guten Freunden (좋은 친구들에 게)	guter Freunde (좋은 친구들의)

독일어 형용사는 수반되는 명사의 성별, 수, 격에 따라 형태가 변경됩니다. 형용사의 격변화란 부정관사(ein, ein) 앞에 오는지, 정관사(der, die, das) 앞에 오는지, 또는 전혀 관사가 없는지에 따라 형용사의 어미가 바뀌는 것입니다.

형용사는 수식하는 명사 앞이나 뒤에 올 수 있습니다. 명사 앞에 위치할 때 형용사는 격변화에 따라 어미를 붙여줘야 하나 뒤에 올 경우 어미가 필요하지 않습니다.

예) ein interessantes Buch = ein Buch interessant

형용사는 한정적(명사 바로 앞) 또는 서술적으로(연결 동사 뒤) 사용될 수 있습니다.

한정 용법: "Ein großer Baum" (한 큰 나무)

서술 용법: "Der Baum ist groß" (저 나무는 크다.)

부록: 영독 단어 대조 색인

영어	독일어	국제음성기호 발음	정관사
account	das Konto	/ˈkɔn.to/	das
address	die Adresse	/aˈdʁɛsə/	die
adult	der Erwachsene	/deʁ ʔɛʁˈvaksnə/	der
air mail	die Luftpost	/diː ˈluːftˌpoːst/	die
airline	die Fluggesellschaft	/diː ˈfluːk.ɡəˌzɛl.ʃaft/	die
airplane	das Flugzeug	/das ˈfluːk.t͡sɔyk/	das
airport	der Flughafen	/deʁ ˈfluːɡ.haˌfən/	der
america	Vereinigte Staaten/ Amerika	/fɛʁˈainɪɡtə ˈʃtaatən/ /aˈmeːʁi.ka/	die/das
amusement park	der Vergnügungspark	/deʁ fɛʁˈɡnyːˌɡʊŋs.paʁk/	der
ankle	der Knöchel	/deʁ ˈknœ.çəl/	der
apartment	die Wohnung	/diː ˈvoː.nʊŋ/	die
apple	der Apfel	/deʁ ˈa.pfl̩/	der
april	der April	/deʁ ˈa.pʁɪl/	der
arm	der Arm	/deʁ ˈarm/	der
atm	der Geldautomat	/ɡɛlt.aʊˌto.maːt/	der
august	der August	/deʁ ˈaʊɡʊst/	der

aunt	die Tante	/diː ˈtan.tə/	die
autumn	der Herbst	/deʁ hɛʁpst/	der
back	der Rücken	/deʁ ˈʁʏkən/	der
bakery	die Bäckerei	/di ˈbɛk.ə.ʁaɪ/	die
balcony	der Balkon	/deʁ ˈbalkɔn/	der
ballpoint pen	der Kugelschreiber	/deʁ ˈkuː.ɡəl.ʃʁaɪbəʁ/	der
banana	die Banane	/diː baˈnaː.nə/	die
bank	die Bank	/baŋk/	die
bar	die Bar	/diː baːʁ/	die
barbecue	das Grillen	/das ˈɡʁɪ.lən/	das
bathroom	das Badezimmer	/das ˈbaː.dən.ˌtsɪmɐ/	das
bathtub	die Badewanne	/diː ˈbaː.də ˌvanə/	die
battery	die Batterie	/baˈte.ʁi/	die
bean	die Bohne	/diː ˈboː.nə/	die
beauty salon	das Schönheitssalon	/das ˈʃøːn.haɪts.saˌlon/	das
bed	das Bett	/das bɛt/	das
bedroom	das Schlafzimmer	/das ˈʃlaːf.tsɪmɐ/	das
beef	das Rindfleisch	/das ˈʁɪnt ˌflaɪʃ/	das
beer	das Bier	/das biːɐ/	das
bellybutton	der Bauchnabel	/deʁ ˈbaʊx.naˌbəl/	der
belt	der Gürtel	/deʁ ˈɡʏʁ.təl/	der

167

bike	das Fahrrad	/das ˈfaː.ʁat/	das
bill	die Rechnung	/diː ˈʁɛç.nʊŋ/	die
black	Schwarz	/ʃvaʁts/	das
blouse	die Bluse	/di ˈbluːzə/	die
blue	Blau	/blaʊ/	das
blueberry	die Heidelbeere	/diː ˈhaɪ.dəl.beː.ʁə/	die
body	der Körper	/deʁ ˈkœʁ.pʁ/	der
bone	der Knochen	/deʁ ˈknoː.çən/	der
book	das Buch	/das buːx/	das
bookstore	die Buchhandlung	/di ˈbuːx.han.dlʊŋ/	die
boy	der Junge	/deʁ ˈjʊŋə/	der
boyfriend	der Freund	/deʁ frɔʏnt/	der
bracelet	das Armband	/das ˈaʁmˌbant/	das
bread	das Brot	/das bʁoːt/	das
breast	die Brust	/diː bʁʊst/	die
bridge	die Brücke	/di ˈbʁʏ.kə/	die
brochure	die Broschüre	/di ˌbʁoːˌʃyː.ʁə/	die
brother	der Bruder	/deʁ ˈbʁuːdʁ/	der
brown	Braun	/bʁaʊn/	das
building	das Gebäude	/das ɡəˈbɔɪdə/	das
bus	der Bus	/deʁ bʊs/	der

bus driver	der Busfahrer	/deʁ ˈbʊs.ˌfaː.ʁɐ/	der
bus stop	die Bushaltestelle	/di ˈbʊs.hal.tə.ˌʃtɛ.lə/	die
business trip	die Dienstreise	/di ˈdiːn.stʁə.ˌʁaɪzə/	die
butter	die Butter	/diː ˈbʊtɐ/	die
cabbage	der Kohl	/deʁ koːl/	der
cake	der Kuchen	/deʁ ˈkuː.xən/	der
camera	die Kamera	/ˈkaː.mə.ʁa/	die
car	das Auto	/das ˈʔaʊ.to/	das
cardigan	der Cardigan	/deʁ kaʁ.ˈdi.gan/	der
carrot	die Karotte	/diː ka.ˈʁɔtə/	die
cash	das Bargeld	/baʁ.gɛlt/	das
cashier	der Kassierer / die Kassiererin	/deʁ ˈka.si.ɐ/ /diː ˈka.si.ə.ʁɪn/	der (m) /die (f)
castle	das Schloss	/das ˈʃlɔs/	das
cathedral	der Dom	/deʁ doːm/	der
chair	der Stuhl	/deʁ ʃtuːl/	der
charger	das Ladegerät	/ˈlaːdəgə.ʁɛt/	das
check in	einchecken	/ˈaɪn.tʃɛkən/	das
check out	auschecken	/ˈaʊs.tʃɛkən/	das
checked-in baggage	das aufgegebene Gepäck	/das ˈaʊf.gə.ˌgɛbənə ˈgə.pɛk/	das

cheek	die Wange	/diː ˈvaŋə/	die
cheese	der Käse	/deʁ ˈkɛːzə/	der
chicken meat	das Hühnerfleisch	/das ˈhʏnɐˌflaɪʃ/	das
children	die Kinder	/diː ˈkɪndɐ/	die
chin	das Kinn	/das kɪn/	das
china	China	/ˈçiːna/	-
chinese	Chinesisch	/ˈçiːnəzɪʃ/	-
chocolate	die Schokolade	/diː ʃokoˈlaːdə/	die
church	die Kirche	/di ˈkɪʁçə/	die
cinema	das Kino	/das ˈkiːno/	das
clerk	der Verkäufer / die Verkäuferin	/deʁ ˈfɛʁkɔɪˌfɐ / diː ˈfɛʁkɔɪˌfɛʁɪn/	der (m) / die (f)
climate	das Klima	/das ˈkliːma/	das
clothing store	das Bekleidungsgeschäft	/das bəˈklaɪdʊŋsˌgɛʃˌɛft/	das
cloud	die Wolke	/di ˈvɔlkə/	die
coat	der Mantel	/deʁ ˈman.təl/	der
cod	der Kabeljau	/deʁ kaˈbɛl.jaʊ/	der
coffee	der Kaffee	/deʁ ˈkaf.e/	der
coin	die Münze	/ˈmʏn.t͡sə/	die
coin wallet	das Münzportemonnaie	/das ˈmʏnt͡sˌpɔʁtəˌmoːˈnaiə/	das

170

colleague	der Kollege	/deʁ koˈleːɡə/	der
comb	der Kamm	/deʁ kam/	der
comforter	die Bettdecke	/diː ˈbɛtˌdɛ.kə/	die
computer	der Computer	/ˈkɔm.pju.tɐ/	der
cost	die Kosten	/diː ˈkɔstn̩/	die
couch	das Sofa	/das ˈzoː.fa/	das
couple	das Paar	/das paːʁ/	das
cousin	der Cousin	/deʁ kuˈziːn/	der
crab	die Krabbe	/diː ˈkʁa.bə/	die
credit card	die Kreditkarte	/ˈkʁeːˌdɪtˌkaʁ.tə/	die
crosswalk	der Zebrastreifen	/deʁ ˈt͡se.bʁaˌʃtʁaɪ.fən/	der
cucumber	die Gurke	/diː ˈɡʊʁ.kə/	die
cup	die Tasse	/diː ˈtasə/	die
currency exchange	der Geldwechsel	/ˈɡɛltˌvaɪksəl/	der
curtain	der Vorhang	/deʁ ˈfoːˌʁaŋ/	der
customer	der Kunde / die Kundin	/deʁ ˈkʊn.də/ /diː ˈkʊn.dɪn/	der (m) / die (f)
customs	der Zoll	/deʁ t͡sɔl/	der
danish	Dänisch	/ˈdɛn.ɪʃ/	-
daughter	die Tochter	/diː ˈtɔxtɐ/	die

day	der Tag	/deʁ taːk/	der
december	der Dezember	/deʁ deˈtsɛmbɐ/	der
degree	der Grad	/das gʁaːt/	das
denmark	Dänemark	/ˈdɛn.maʁk/	-
deodorant	das Deodorant	/das ˈde.o.dɔ.ʁant/	das
department store	das Kaufhaus	/das ˈkaʊ̯f.haʊ̯s/	das
deposit	die Einzahlung	/ˈaɪ̯n.t͡saˌlʊŋ/	die
dessert	das Dessert	/das deˈzɛʁ/	das
dictionary	das Wörterbuch	/das ˈvœʁ.tɐ.buх/	das
dollar	der Dollar	/ˈdɔ.laʁ/	der
domestic flight	der Inlandsflug	/deʁ ˈɪn.lantsˌfluːk/	der
domestic mail	die Inlandspost	/diː ˈɪntlantsˌpoːst/	die
door	die Tür	/diː ˈtyːʁ/	die
double room	das Doppelzimmer	/das ˈdɔplˌt͡sɪmɐ/	das
dressing room	die Umkleidekabine	/di ˈʊm.klaɪ̯.dəˌka.biː.nə/	die
duck meat	das Entenfleisch	/das ˈɛn.tənˌflaɪ̯ʃ/	das
dutch	Niederländisch	/ˈniː.dɐ.lant.ɪʃ/	-
duty-free shop	der Zollfreiladen	/deʁ ˈt͡sɔlfʁaɪ̯ˌlaːˌdən/	der
ear	das Ohr	/das ɔʁ/	das

172

earring	der Ohrring	/deʁ ˈoːʁ.ɪŋ/	der
east	der Osten	/deʁ ˈɔstən/	der
egg	das Ei	/das aɪ̯/	das
elbow	der Ellenbogen	/deʁ ˈʔɛ.lən.boː.gən/	der
electricity	der Strom	/ʃtʁoːm/	der
elevator	der Aufzug	/deʁ ˈaʊ̯f.t͡suːk/	der
e-mail	die E-Mail	/ˈiː.meɪ̯l/	die
england	England	/ˈɛŋ.ɡlant/	-
english	Englisch	/ˈɛŋ.lɪʃ/	-
entrance	der Eingang	/deʁ ˈaɪ̯n.ɡaŋ/	der
entrance fee	der Eintrittspreis	/deʁ ˈaɪ̯n.tʁɪt͡s.pʁaɪ̯s/	der
envelope	der Umschlag	/deʁ ˈʊms.laːk/	der
eraser	der Radiergummi	/deʁ raˈdiːʁ.ɡʊmi/	der
euro	der Euro	/ˈɔɪ̯.ʁoʊ̯/	der
exchange rate	der Wechselkurs	/ˈvɛksəl.kuʁs/	der
exit	der Ausgang	/deʁ ˈaʊ̯s.ɡaŋ/	der
eye	das Auge	/das ˈaʊ̯ɡə/	das
eye shadow	der Lidschatten	/deʁ ˈlɪt.ʃatən/	der
eyeliner	der Eyeliner	/deʁ ˈaɪ̯.laɪ̯.nʁ/	der
face	das Gesicht	/das ɡəˈzɪçt/	das
family	die Familie	/diː faˈmiːlɪə/	die

fashion	die Mode	/diː ˈmoː.də/	die
father	der Vater	/deʁ ˈfaːtɐ/	der
february	der Februar	/deʁ feˈbʁuaʁ/	der
finger	der Finger	/deʁ ˈfɪŋ.ɐ/	der
finland	Finnland	/ˈfɪnlant/	-
finnish	Finnisch	/ˈfɪn.ɪʃ/	-
fire station	die Feuerwache	/di ˈfɔʏʁ.ˌva.xə/	die
fish	der Fisch	/deʁ fɪʃ/	der
flight	der Flug	/deʁ ˈfluːk/	der
flight number	die Flugnummer	/di ˈfluːk.ˌnʊm.ɐ/	die
flood	die Überschwemmung	/diː ˌʏbɐ.ˈʃvɛmʊŋ/	die
floor	der Stock / die Etage	/deʁ ʃtɔk / diː ˈeː.taː.ʒə/	der / die
fog	der Nebel	/deʁ ˈneː.bəl/	der
foot	der Fuß	/deʁ fuːs/	der
forehead	die Stirn	/diː ʃtɪʁn/	die
foreign country	das Ausland	/das ˈaʊs.lant/	das
fork	die Gabel	/diː ˈɡa.bəl/	die
france	Frankreich	/ˈfʁaŋk.ʁaɪç/	-
free time	die Freizeit	/di ˈfʁaɪ.t͡saɪt/	die

174

french	Französisch	/ˈfʁants.ʔɔɪ̯sç/	-
friday	der Freitag	/deʁ ˈfʁaɪ̯taːk/	der
frost	der Frost	/deʁ fʁɔst/	der
fruit	das Obst	/das ɔpst/	das
garlic	der Knoblauch	/deʁ ˈknoː.blaʊ̯x/	der
german	Deutsch	/ˈdɔɪ̯tʃ/	-
germany	Deutschland	/ˈdɔɪ̯tʃ.land/	-
gift	das Geschenk	/das ˈgɛʃ.ɛŋk/	das
gift shop	der Geschenkeladen	/deʁ ˈgɛʃ.əŋ.kə.ˌlaː.dən/	der
girl	das Mädchen	/das ˈmɛːdçən/	das
girlfriend	die Freundin	/diː ˈfʁɔʏ̯ndɪn/	die
glasses	die Brille	/diː ˈbʁɪ.lə/	die
gloves	die Handschuhe	/diː ˈhant.ʃuː.ə/	die
glue	der Klebstoff	/deʁ ˈkleːp.stɔf/	der
grandchild	das Enkelkind	/das ˈʔɛŋ.kəl.kɪnt/	das
grandfather	der Großvater	/deʁ ˈgʁoːs.ˌfaːtɐ/	der
grandmother	die Großmutter	/diː ˈgʁoːs.ˌmʊtɐ/	die
grape	die Weintraube	/diː ˈvaɪ̯n.ˌtʁaʊ̯.bə/	die
gray	Grau	/gʁaʊ̯/	das
green	Grün	/gʁyːn/	das

guidebook	der Reiseführer	/deʁ ˈraɪzəˌfyːʁɐ/	der
hair	das Haar	/das haːr/	das
hair dryer	der Haartrockner	/deʁ ˈhaːɐ̯tˌʁɔk.nɐ/	der
ham	der Schinken	/deʁ ˈʃɪŋ.kən/	der
hand	die Hand	/diː ˈhant/	die
hand luggage	das Handgepäck	/das ˈhant.ɡəˌpɛk/	das
handbag	die Handtasche	/diː ˈhantˌtaʃə/	die
handkerchief	das Taschentuch	/das ˈtaʃən.tuːx/	das
hat	der Hut	/deʁ huːt/	der
head	der Kopf	/deʁ kɔpf/	der
headphones	die Kopfhörer	/ˈkɔp.fœ.ʁɐ/	die
herring	der Hering	/deʁ ˈheʁ.ɪŋ/	der
holland	Niederlande	/ˈhɔ.lant/	-
honeymoon	die Flitterwochen	/di ˈflɪtʁ.voːˌxən/	die
hospital	das Krankenhaus	/das ˈkʁaŋ.kən.haʊs/	das
hostel	das Hostel	/das ˈhɔs.təl/	das
hotel	das Hotel	/das hoˈtɛl/	das
house	das Haus	/das haʊs/	das
humidity	die Luftfeuchtigkeit	/di ˈluft.ˌfɔyç.tɪɡ.kaɪt/	die
hurricane	der Hurrikan	/deʁ hʊ.ˈʁi.kaːn/	der
husband	der Ehemann	/deʁ ˈeː.maːn/	der

ice cream	das Eis	/das aɪs/	das
infant	das Baby	/das ˈbaː.bi/	das
interest	der Zins	/tsɪns/	der
international flight	der Auslandsflug	/deʁ ˈaʊs.lants ˌfluːk/	der
international mail	die Internationale Post	/diː ˌɪntʁnaˈtsi̯oˌnaˌleː ˌpoːst/	die
internet cafe	das Internetcafé	/das ˈʔɪntʁnɛt.ˌkaˌfe/	das
italian	Italienisch	/ɪtaˈli̯enɪʃ/	-
italy	Italien	/iˈtaːli̯ən/	-
itinerary	der Reiseplan	/deʁ ˈraɪ.zə.ˌplaːn/	der
jacket	die Jacke	/diː ˈjakə/	die
jam	die Marmelade	/diː ˌmaʁ.məˈlaː.də/	die
january	der Januar	/deʁ jaˈnu̯aʁ/	der
japan	Japan	/jaˈpɔn/	-
japanese	Japanisch	/jaˈpaːnɪʃ/	-
jeans	die Jeans	/diː dʒiːns/	die
journal	das Journal	/das ʒʊʁˈnaːl/	das
juice	der Saft	/deʁ zaft/	der
july	der Juli	/deʁ ˈjuː.li/	der
june	der Juni	/deʁ ˈjuː.ni/	der
key	der Schlüssel	/deʁ ˈʃlʏs.əl/	der

177

kiosk	der Kiosk	/deʁ ˈkjoːsk/	der
kitchen	die Küche	/diː ˈkʏ.çə/	die
knee	das Knie	/das kniː/	das
knife	das Messer	/das ˈmɛ.sɐ/	das
korea	Korea	/koˈʁeːa/	-
korean	Koreanisch	/koˈreːanɪʃ/	-
lamb	das Lamm	/das lam/	das
lamp	die Lampe	/diː ˈlam.pə/	die
laptop	der Laptop	/ˈlæp.tɔp/	der
lemon	die Zitrone	/diː ˈtsi.tʁoː.nə/	die
lemonade	die Limonade	/diː li.moˈnaː.də/	die
library	die Bibliothek	/di ˌbiː.bli.oˈtɛk/	die
lightning	der Blitz	/deʁ blɪts/	der
lipstick	der Lippenstift	/deʁ ˈlɪpənˌʃtɪft/	der
living room	das Wohnzimmer	/das ˈvoːnˌtsɪmɐ/	das
lost and found	das Fundbüro	/das ˈfʊntˌbyːˌʁoː/	das
mailbox	der Briefkasten	/ˈbʁiːfˌkas.tən/	der
main course	der Hauptgang	/deʁ ˈhaʊptˌɡaŋ/	der
makeup	das Make-up	/das ˈmeɪ̯k.ʊp/	das
man	der Mann	/deʁ man/	der
map	die Karte	/di ˈkaʁ.tə/	die

march	der März	/deʁ mɛʁts/	der
mashed potatoes	das Kartoffelbrei	/das kaʁˈtɔfəlˌbraɪ̯/	das
massage	die Massage	/diː maˈsaːʒə/	die
may	der Mai	/deʁ maɪ̯/	der
meat	das Fleisch	/das flaɪ̯ʃ/	das
melon	die Melone	/diː məˈloː.nə/	die
memory card	die Speicherkarte	/ˈʃpaɪ̯.çɐ.kar.tə/	die
menu	die Speisekarte	/diː ˈʃpaɪ̯.zə.ˌkartə/	die
mexico	Mexiko	/ˈmeː.ksi.ko/	-
milk	die Milch	/diː mɪlç/	die
minute	die Minute	/diː miˈnuːtə/	die
mirror	der Spiegel	/deʁ ˈʃpiːgəl/	der
miss	Frau	/ˈfrɔɪ̯laɪ̯n/	-
mister	Herr	/hɛʁ/	-
monday	der Montag	/deʁ ˈmontaːk/	der
money	das Geld	/gɛlt/	das
month	der Monat	/deʁ moˈnat/	der
mother	die Mutter	/diː ˈmʊtɐ/	die
mouth	der Mund	/deʁ mʊnt/	der
museum	das Museum	/das muˈzeː.ʊm/	das

mushroom	der Pilz	/deʁ pɪlts/	der
nail polish	der Nagellack	/deʁ ˈnaːɡəlˌlak/	der
napkin	die Serviette	/diː ˌzɛr.viˈɛ.tə/	die
nationality	die Nationalität	/di ˌna.t͡sio.naˈliːtɛt/	die
neck	der Hals	/deʁ hals/	der
necklace	die Halskette	/diː ˈhalsˌkɛtə/	die
neighbour	der Nachbar	/deʁ ˈnaχbaʁ/	der
newspaper	die Zeitung	/diː ˈtsaɪtʊŋ/	die
north	der Norden	/deʁ ˈnɔʁ.dən/	der
norway	Norwegen	/ˈnɔʁ.veːɡn/	-
norwegian	Norwegisch	/ˈnɔʁ.veːɡɪʃ/	-
nose	die Nase	/diː ˈnaː.zə/	die
november	der November	/deʁ noˈvɛmbɐ/	der
october	der Oktober	/deʁ ɔkˈtoːbɐ/	der
olives	die Oliven	/diː oˈliːvən/	die
omelette	das Omelett	/das ɔməˈlɛt/	das
oneway ticket	die einfache Fahrkarte	/di ˌaɪnfaːˈxə ˈfaʁˌkaʁtə/	die
onion	die Zwiebel	/diː ˈtsviːbəl/	die
opening hour	die Öffnungszeiten	/diː ˈʔœfnʊŋsˌtsaɪtən/	die
orange (color)	Orange	/oˈʁanʒə/	das

180

orange	die Orange	/diː ˈɔ.ʁan.tsə/	die
oven	der Ofen	/deʁ ˈoː.fən/	der
package	das Paket	/ˈpa.kɛt/	das
palace	der Palast	/deʁ ˈpaˌlast/	der
pancake	der Pfannkuchen	/deʁ ˈpfaŋ.kuːˌxən/	der
pants	die Hose	/diː ˈhoːzə/	die
pantyhose	die Strumpfhose	/di ˈʃtʁʊmpfˌhoːzə/	die
paper	das Papier	/das paˈpiːɐ̯/	das
parents	die Eltern	/diː ˈʔɛltɐn/	die
park	der Park	/deʁ park/	der
passenger	der Fahrgast	/deʁ ˈfaːɐ̯.gast/	der
passport	der Reisepass	/deʁ ˈʁaɪzəˌpas/	der
password	das Passwort	/ˈpas.vɔʁt/	das
pea	die Erbse	/diː ˈɛʁp.zə/	die
peach	der Pfirsich	/deʁ ˈpfɪʁ.zɪç/	der
pear	die Birne	/diː ˈbɪʁ.nə/	die
pen	der Stift	/deʁ ʃtɪft/	der
pencil	der Bleistift	/deʁ ˈblaɪˌʃtɪft/	der
pepper	der Pfeffer	/deʁ ˈpfɛfɐ/	der
perfume	das Parfüm	/das paʁˈfyːm/	das
person	die Person	/diː pɛrˈzoːn/	die

pharmacy	die Apotheke	/di ˌʔa.poˈteː.kə/	die
phone	das Telefon	/ˌteː.ləˈfoːn/	das
photo	das Foto	/das ˈfo.to/	das
pillow	das Kissen	/das ˈkɪ.sən/	das
pineapple	die Ananas	/diː ˈa.na.nas/	die
pink	Rosa	/ˈʁoːza/	das
pizza	die Pizza	/diː ˈpɪt.sa/	die
plane ticket	das Flugticket	/das ˈfluːk.tɪkət/	das
police station	die Polizeistation	/di ˌpo.liˌt͡saɪˌʃtaːˌt͡sɪoːn/	die
pork	das Schweinefleisch	/das ˈʃvaɪnən.flaɪʃ/	das
port	der Hafen	/deʁ ˈhaː.fən/	der
porter	der Portier	/deʁ pɔʁˈtje./	der
post office	das Postamt	/ˈpɔst.ʔamt/	das
postage	das Porto	/ˈpɔʁ.to/	das
postcard	die Postkarte	/ˈpɔstˌkaʁ.tə/	die
potato	die Kartoffel	/diː ˈkartəfəl/	die
printer	der Drucker	/ˈdʁʊk.ɐ/	der
purple	Lila	/ˈliːla/	das
quality	die Qualität	/diː ˈkvaːˌlɪ.tɛt/	die
queue	die Warteschlange	/di ˈvaʁ.təˌʃlaŋ.ə/	die

railway	die Eisenbahn	/di ˈʔaɪ.zn̩.baːn/	die
rain	der Regen	/deʁ ˈʁeː.ɡən/	der
rainbow	der Regenbogen	/deʁ ˈʁeː.ɡən.ˌboː.ɡn̩/	der
raincoat	der Regenmantel	/deʁ ˈʁeː.ɡn̩.man.təl/	der
receipt	der Kassenbon	/deʁ ˈka.sən.bɔn/	der
receiver	der Empfänger	/ˌɛm.pfɛŋ.ʁ/	der
reception	die Rezeption	/diː ʁeˈtsɛp.tsi̯oːn/	die
red	Rot	/ʁoːt/	das
reflector	der Reflektor	/deʁ ˌʁɛfˈlɛktoʁ/	der
refrigerator	der Kühlschrank	/deʁ ˈkyːl.ʃʁaŋk/	der
refund	die Rückerstattung	/diː ˌʁʏk.ʁ.ˈʃtat.ʊŋ/	die
reindeer meat	das Rentierfleisch	/das ˈʁɛn.ti̯ɐ̯ˌflaɪʃ/	das
relative	der Verwandte	/deʁ fɛɐ̯ˈvantə/	der
reservation	die Reservierung	/diː ˌʁeː.zɐ.ˌviː.ʁʊŋ/	die
restaurant	das Restaurant	/das ˌʁɛs.toˈʁɑ̃ː/	das
rice	der Reis	/deʁ ʁaɪs/	der
room	das Zimmer	/das ˈtsɪmɐ/	das
room service	der Zimmerservice	/deʁ ˈtsɪmɐ.ˌzɛʁ.vɪs/	der
round-trip ticket	die Hin- und Rückfahrkarte	/diː ˌhɪn ʊnt ˈʁʏk.faːɐ̯.kaʁ.tə/	die
salad	der Salat	/deʁ zaˈlaːt/	der
sale	der Verkauf	/deʁ ˈfɛɐ̯.kaʊf/	der

salmon	der Lachs	/deʁ lax/	der
salt	das Salz	/das zalʦ/	das
saturday	der Samstag	/deʁ ˈzams.taːk/	der
sauce	die Soße	/diː ˈzoː.sə/	die
sauna	die Sauna	/diː ˈzaʊ.na/	die
sausage	die Wurst	/diː vʊʁst/	die
school	die Schule	/diː ˈʃuː.lə/	die
scissor	die Schere	/diː ˈʃeːʁə/	die
seat belt	der Sicherheitsgurt	/deʁ ˈzɪçɐ.haɪts.ɡʊʁt/	der
second	die Sekunde	/diː zɛˈkʊndə/	die
sender	der Absender	/ˈap.zɛnd.ɐ/	der
september	der September	/deʁ ˌzɛpˈtɛmbɐ/	der
shampoo	das Shampoo	/das ˈʃampu/	das
shawl	der Schal	/das tʊx/	das
shirt	das Hemd	/das hɛmt/	das
shoe store	der Schuhladen	/deʁ ˈʃuː.la.dən/	der
shoes	die Schuhe	/diː ˈʃuː.ə/	die
shopping center	das Einkaufszentrum	/das ˈaɪn.kaʊfs.ˌʦɛn.trʊm/	das
shopping street	die Einkaufsstraße	/di ˈaɪn.kaʊfs.ˌʃtʁaː.sə/	die
shoulder	die Schulter	/diː ˈʃʊl.tɐ/	die
shower	die Dusche	/diː ˈdʊʃə/	die

184

shrimp	die Garnele	/diː ˈɡaʁ.nələ/	die
sidewalk	der Gehweg	/deʁ ˈɡeː.vek/	der
sightseeing	die Besichtigung	/di bə.zɪç.tɪɡ.ʊŋ/	die
sim card	die SIM-Karte	/ˈzɪm ˌkaʁtə/	die
single room	das Einzelzimmer	/das ˈaɪn.zəl ˌtsɪmɐ/	das
sister	die Schwester	/diː ˈʃvɛstɐ/	die
size	die Größe	/diː ˈɡʁœsə/	die
skin	die Haut	/diː haʊt/	die
skirt	der Rock	/deʁ ʁɔk/	der
slaughterhouse	der Schlachthof	/deʁ ˈʃlaχt.hɔf/	der
sleet	der Schneeregen	/deʁ ˈʃneː.ʁeː.ɡən/	der
smart phone	das Smartphone	/ˈsmaɹt ˌfoʊn/	das
snow	der Schnee	/deʁ ʃneː/	der
snowstorm	das Schneegestöber	/das ˈʃneː.ɡə ˌʃtøː.bɐ/	das
soap	die Seife	/diː ˈzaɪ.fə/	die
socket	die Steckdose	/ˈʃtɛk ˌdoːzə/	die
socks	die Socken	/di ˈzɔ.kən/	die
sold out	ausverkauft	/ˈaʊs.fɛɐ̯.kaʊft/	-
son	der Sohn	/deʁ zoːn/	der
soup	die Suppe	/diː ˈzʊ.pə/	die

south	der Süden	/deʁ ˈzyː.dən/	der
spain	Spanien	/ˈʃpaːni̯.ən/	-
spanish	Spanisch	/ˈʃpaːnɪʃ/	-
spoon	der Löffel	/deʁ ˈlœfəl/	der
spring	der Frühling	/deʁ ˈfʁyː.lɪŋ/	der
stamp	die Briefmarke	/ˈbʁiːf.maʁ.kə/	die
starter	die Vorspeise	/diː ˈfoʁ.ʃpaɪ̯.zə/	die
station	die Station	/di ʃta.tsi̯ɔn/	die
steak	das Steak	/das ʃteɪ̯k/	das
stomach	der Magen	/deʁ ˈmaː.gən/	der
stopover	der Zwischenstopp	/deʁ ͡tsvɪʃən.ʃtɔp/	der
store	das Geschäft / der Laden	/das ˈgɛ.ʃɛft/ /deʁ ˈlaː.dən/	das (n) / der (m)
storm	der Sturm	/deʁ ʃtʊʁm/	der
strawberry	die Erdbeere	/diː ˈʔɛʁt.beːʁə/	die
subway	die U-Bahn	/di ˈuː.baːn/	die
sugar	der Zucker	/deʁ ˈtsuː.kʁ/	der
summer	der Sommer	/deʁ ˈzɔmʁ/	der
sun	die Sonne	/di ˈzɔnə/	die
sunday	der Sonntag	/deʁ ˈzɔntaːk/	der
sunglasses	die Sonnenbrille	/diː ˈzɔnən͜bʁɪlə/	die

186

sunscreen	die Sonnencreme	/diː ˈzɔnənˌkʁeːmə/	die
supermarket	der Supermarkt	/deʁ ˈzuːpɐˌmaʁkt/	der
sweden	Schweden	/ˈʃveːdən/	-
swedish	Schwedisch	/ˈʃveːdɪʃ/	-
swimming pool	das Schwimmbad	/das ˈʃvɪmˌbaːt/	das
swimsuit	der Badeanzug	/deʁ ˈbaːdəˌʔanˌt͡suːk/	der
table	der Tisch	/deʁ tɪʃ/	der
tablet pc	das Tablet	/ˈta.blɛt/	das
tape	das Klebeband	/das ˈkleːbəˌbant/	das
tax	die Steuer	/di ˈʃtɔʏ.ʁ/	die
taxi	das Taxi	/das ˈtak.si/	das
tea	der Tee	/deʁ teː/	der
teeth	die Zähne	/diː ˈt͡sɛː.nə/	die
temperature	die Temperatur	/diː ˌtɛm.pə.ˈʁaː.tuʁ/	die
text message	die SMS	/teː.ɛm.ˈɛs/	die
the day after tomorrow	übermorgen	/ˈyː.bɐˌmɔʁ.ɡən/	-
the day before yesterday	vorgestern	/ˈfoːɐ̯ˌɡɛs.tɐn/	-
theater	das Theater	/das ˈteː.a.tɐ/	das
thigh	der Oberschenkel	/deʁ ˈʔoː.bɐˌʃen.kəl/	der
throat	die Kehle	/diː ˈkeː.lə/	die

thunder	der Donner	/deʁ ˈdɔ.nɐ/	der
thursday	der Donnerstag	/deʁ ˈdɔnʁstaːk/	der
ticket	die Eintrittskarte	/di ˈfaːʁˌkaʁ.tə/	die
ticket office	das Fahrkartenschalter	/das ˈfaːʁˌkaʁ.tən.ˌʃalt.ər/	das
tie	die Krawatte	/di ˌkʁaˈvatə/	die
time	die Zeit	/diː tsait/	die
timetable	der Fahrplan	/deʁ ˈfaʁ.plan/	der
today	heute	/ˈhɔɣ.tə/	-
toe	die Zehe	/diː ˈtseːə/	die
toilet	die Toilette	/diː ˌtɔɪ.lɛ.tə/	die
tomato	die Tomate	/diː toˈmaː.tə/	die
tomorrow	morgen	/ˈmɔʁ.gən/	-
toothbrush	die Zahnbürste	/diː ˈtsaːn.by.ʁ.stə/	die
toothpaste	die Zahnpasta	/diː ˈtsaːn.pas.ta/	die
tourist	der Tourist	/deʁ toʊʁˈɪst/	der
tourist office	das Tourismusbüro	/das ˈtoʊʁɪsmʊs.ˌby.ʁo/	das
towel	das Handtuch	/das ˈhant.u.ːx/	das
town hall	das Rathaus	/das ˈʁaːt.haʊs/	das
tracking number	die Sendungsnummer	/ˈzɛndʊŋs.ˌnʊm.ɐ/	die
traffic	der Verkehr	/deʁ ˈfɛɐ̯kɐ/	der

traffic light	die Ampel	/di ˈʔam.pəl/	die
train	der Zug	/deʁ ˈtsuːk/	der
train station	der Bahnhof	/deʁ ˈbaːn.hɔf/	der
tram	die Straßenbahn	/di ˈʃtʁaː.sən.baːn/	die
traveler's checks	der Reisescheck	/ˈʁaɪ̯.zə.ʃɛk/	der
trip	die Reise	/di ˈʁaɪ̯.zə/	die
trout	die Forelle	/diː fɔˈʁɛ.lə/	die
tuesday	der Dienstag	/deʁ ˈdiːnstaːk/	der
tuna	der Thunfisch	/deʁ ˈtuːn.fɪʃ/	der
tv	der Fernseher	/deʁ ˈfɛʁn.ze.ʌr/	der
twin	der Zwilling	/deʁ ˈt͡svɪ.lɪŋ/	der
uncle	der Onkel	/deʁ ˈɔŋkl̩/	der
underwear	die Unterwäsche	/di ˈʔʊntɐ.vɛʃə/	die
university	die Universität	/diː ˌʔunɪvɛʁ.ziˈtɛt/	die
vegetables	das Gemüse	/das ɡəˈmyːzə/	das
visa	das Visum	/das ˈviː.zʊm/	das
waiter	der Kellner	/deʁ ˈkɛl.nɐ/	der
wallet	die Brieftasche	/diː ˈbʁiːf.taʃə/	die
wardrobe	der Kleiderschrank	/deʁ ˈklaɪ̯.dɐ.ʃʁaŋk/	der
washing machine	die Waschmaschine	/diː ˈvaʃ.mas.ʃiː.nə/	die
water	das Wasser	/das ˈvasɐ/	das

watermelon	die Wassermelone	/diː ˈvasɐ.me.loː.nə/	die
way	der Weg	/deʁ veːk/	der
weather	das Wetter	/das ˈvɛtɐ/	das
weather forecast	die Wettervorhersage	/di ˈvɛtɐ.foːɐ̯.heːɐ̯.zaːɡə/	die
website	die Website	/ˈveːb.saɪ̯tə/	die
wednesday	der Mittwoch	/deʁ ˈmɪtxɔx/	der
week	die Woche	/diː ˈvɔ.xə/	die
weekday	der Wochentag	/deʁ ˈvɔ.xən.taːk/	der
weekend	das Wochenende	/das ˈvɔ.xən.ɛn.də/	das
west	der Westen	/deʁ ˈvɛstən/	der
white	Weiß	/vaɪ̯s/	das
wife	die Ehefrau	/diː ˈeː.fraʊ̯/	die
wifi	das WLAN	/ˈviː.fi/	das
wind	der Wind	/deʁ vɪnt/	der
window	das Fenster	/das ˈfɛn.stɐ/	das
wine	der Wein	/deʁ vaɪ̯n/	der
winter	der Winter	/deʁ ˈvɪntɐ/	der
woman	die Frau	/diː fraʊ̯/	die
wrist	das Handgelenk	/das ˈhant.ɡə.lɛŋk/	das
wristwatch	die Armbanduhr	/diː ˈaʁm.bant.uːɐ̯/	die
year	das Jahr	/das jaːʁ/	das

yellow	Gelb	/ɡɛlp/	das
yesterday	gestern	/ˈɡɛs.tɐn/	-
yoghurt	der Joghurt	/deʁ ˈjoː.ɡʊʁt/	der
zip code	die Postleitzahl	/ˈpoːst.ˌlaɪts.aːl/	die
zoo	der Zoo	/deʁ ˈzoː/	der